OS ÚLTIMOS CZARES

PAULO REZZUTTI

OS ÚLTIMOS CZARES

UMA BREVE HISTÓRIA NÃO
CONTADA DOS ROMANOVS

Copyright © 2021, Paulo Rezzutti
© 2021 Casa dos Mundos / LeYa Brasil

Todos os direitos reservados e protegidos pela Lei 9.610, de 19.02.1998.
É proibida a reprodução total ou parcial sem a expressa anuência da editora.

Editora executiva
Izabel Aleixo

Projeto gráfico e capa
Kelson Spalato

Produção editorial
Ana Bittencourt, Carolina Vaz
e Emanoelle Veloso

Colorização da imagem de capa
Mariana Veiga

Diagramação
Filigrana

Edição de texto
Adriana Moura

Revisão
Clara Diament
Beatriz D'Oliveira

Dados Internacionais de Catalogação na Publicação (CIP)
Angélica Ilacqua CRB-8/7057

Rezzutti, Paulo
    Os últimos czares: uma breve história não contada dos Romanovs / Paulo Rezzutti – São Paulo: LeYa Brasil, 2021.
    256 p: il.

ISBN 978-65-5643-145-1

1. Rússia - História - Nicolau II, 1894-1917 I. Título

21-4666   CDD 947.083

Índices para catálogo sistemático:
1. Rússia - História - Nicolau II, 1894-1917

LeYa Brasil é um selo editorial da empresa Casa dos Mundos.

Todos os direitos reservados à
Casa dos Mundos Produção Editorial e Games Ltda.
Rua Frei Caneca, 91 | Sala 11 – Consolação
01307-001 – São Paulo – SP
www.leyabrasil.com.br

À Martha Coelho Padilha

Finalmente unidos, ligados para toda a vida, e quando esta vida acabar, nos encontraremos no outro mundo e ficaremos juntos pela eternidade. Sua, sua.

Alix para Nicky

Sou indescritivelmente feliz com Alix. É triste que meu trabalho tome tantas horas que eu preferiria passar exclusivamente com ela.

Nicky sobre Alix

Sumário

Breve nota introdutória	11
O início	13
As famílias do czar Nicolau II e de sua esposa Alexandra	18
Os Romanovs	20
Os primeiros terroristas modernos	24
O czar com punhos de ferro	30
O príncipe viaja o mundo	36
Uma princesa alemã	46
De Alix a Alexandra	58
Um ovo muito especial	70
Início de um reinado	76
Tsarskoye Selo	88
O esperado herdeiro	98
Vida em família	104
Caminhando para a primeira revolução	114
Mais levantes, menos espontâneos e mais organizados	120
Rasputin	126
O último brilho do império	140
Guerra, morte e fome	150
A morte de Rasputin	162
Tempo de revolução	174
"Cidadão Nicolau"	184
Sibéria	194
A Revolução de Outubro	200
Uma viagem sem volta	206
Os últimos dias	214
O fim do mistério	224
Os sobreviventes	230
Referências bibliográficas	247

Breve nota introdutória

Um dos problemas ao escrever um livro a respeito da Rússia está no fato de que o idioma utiliza um alfabeto diferente do nosso. O russo é escrito em caracteres cirílicos, mais adaptados aos sons das línguas eslavas e que não correspondem plenamente às letras do alfabeto latino, usado pelo português. Por isso é necessário adotar um padrão ao transliterar de um sistema para o outro, o que foi feito aqui.

Um exemplo é a palavra царь, título do monarca russo. Ela pode ser adaptada para o português de três maneiras, todas aceitas pelo Vocabulário Ortográfico da Língua Portuguesa: tsar, tzar ou czar. Aqui, optou-se pela grafia mais consagrada, czar. O mesmo vale para seus derivados: czarina, a esposa do czar, e czarévitche, o herdeiro do trono.

A palavra "czar" deriva de "césar", título dos imperadores romanos, e foi adotada pelos monarcas russos desde os tempos de Ivã, o Terrível, no século XVI. Pedro, o Grande, introduziu o uso do título de "imperador" em 1721. Ambos são corretos, e aqui foram utilizados os dois. Nicolau II, por ser mais conservador e apegado às tradições, preferia o de czar. O título de imperador, em vez de rei, deve-se à vastidão do território e ao número de povos sobre os quais o monarca russo governava.

Outra dificuldade ao lidar com a Rússia pré-revolucionária é o calendário. O calendário juliano, utilizado desde a Antiguidade romana, foi reformado em 1582 pelo papa Gregório XIII, dando origem ao calendário gregoriano, hoje utilizado na maior parte do mundo. No entanto, a Rússia só adotou essa mudança em 1918, no início do governo bolchevique. Dessa maneira, o calendário russo até essa data tem uma defasagem em relação ao calendário ocidental, que era de treze dias na época do último czar. Um exemplo está na Revolução de Outubro, assim chamada por ter ocorrido em 25 de outubro no calendário juliano. Essa data corresponde a 7 de novembro no gregoriano. Para facilitar o entendimento, utilizamos apenas o calendário gregoriano nesta obra, mencionando em conjunto a data no juliano apenas quando relevante.

Os nomes russos são formados por três partes: um prenome, um patronímico e um sobrenome. O patronímico é o nome do pai adicionado dos sufixos -vich, no caso de homens, e -evna ou -ovna, no caso de mulheres, que significam "filho de" e "filha de", respectivamente. Então, o nome completo do czar Nicolau II era Nicolau Alexandrovich Romanov: Nicolau, filho de Alexandre, da família Romanov.

O início

Eu era um jovem quando, aos 14 anos, ouvi pela primeira vez falar no assassinato dos Romanovs, a última família imperial russa. Era de noite, assim como também foi de noite o assassinato, quando eu tomei contato com a história deles por meio do filme *Nicholas e Alexandra*, baseado no livro *Nicolau e Alexandra*, do escritor Robert K. Massie.

Era outra época: estou falando de meados dos anos 1980. Não havia internet, pesquisas eram feitas em enciclopédias, a Europa ainda era dividida pela Cortina de Ferro, o Leste Europeu era comunista e diversos países não passavam de estados satélites da antiga União Soviética. Hollywood lançava filmes sobre espiões russos infiltrados no Ocidente, e o *Globo Repórter* fazia programas sobre a ameaça de uma guerra nuclear entre o Primeiro Mundo (Estados Unidos e seus aliados) e o Segundo Mundo (União Soviética e seus aliados). Óbvio que o Terceiro Mundo, os países neutros, mas nem tanto, durante a Guerra Fria, também sofreria com esse conflito. Lembro particularmente de uma dessas matérias, na qual o apresentador mostrava as capitais que pereceriam rapidamente por ataques de mísseis nucleares. São Paulo era um dos alvos. Naquela noite foi bem difícil dormir entre pesadelos com a sombra de corpos desintegrados impressas em muros, como em Hiroshima, e com uma nova e estranha civilização que poderia vir a surgir das baratas, que seriam uma das poucas espécies a se salvar de um ataque desse tipo.

Somando-se a esse cenário todo, saber que nos anos iniciais do regime soviético os revolucionários massacraram a família imperial russa – pai, mãe e crianças – com tiros e golpes de baionetas era bem assustador. Claro que, algum tempo depois, descobri as barbaridades do próprio regime czarista e cheguei rapidamente à conclusão de que

13

a história sempre tem vários lados e serve muito bem como propaganda, dependendo de qual deles se quer atacar. Mas o fato é que a imagem da família fuzilada, principalmente as jovens grã-duquesas e o herdeiro, não saía da minha mente.

O mistério maior era a completa ausência dos restos mortais. Anna Anderson ainda vivia. Ela alegava ser a grã-duquesa Anastácia, que teria sobrevivido milagrosamente ao massacre de toda a família imperial russa graças à bondade de um dos soldados. A pretensa Romanov surgira em Berlim anos após o assassinato da família. Lendas de sobreviventes não faltavam; uma das mais belas era a de que toda a família havia na verdade sobrevivido e vivia num iate que não podia jamais tocar em terra firme. Outra história era que eles haviam conseguido asilo no Vaticano e moravam lá incógnitos.

A quantidade de supostos sobreviventes, incluindo o príncipe herdeiro, era absurda. Até no Brasil eles apareceram. Na cidade de Poços de Caldas, em Minas Gerais, existe o túmulo de uma russa que dizia ser a grã-duquesa Anastácia. Em Cuiabá, Mato Grosso, surgiu um torneiro mecânico, falecido em 1996, que alegava ser filho e herdeiro do czar Nicolau II e da czarina Alexandra. O verdadeiro Alexei sofria de hemofilia, e seria muito pouco provável que tivesse sobrevivido a tiros e golpes de baionetas. Sempre que eu descobria a história de mais um "sobrevivente", na Espanha, França, Inglaterra ou Itália, vinha à minha mente uma das melhores tiradas do filme *Anastácia, a princesa esquecida*, quando a imperatriz viúva Maria Feodorovna, mãe do czar Nicolau II, ao ser confrontada no exílio com mais uma "sobrevivente", questiona como a revolução na Rússia triunfou com pelotões de fuzilamento tão ruins.

Obviamente, eu não era o único curioso sobre o assunto. Desde o aparecimento dos primeiros pretensos sobreviventes, reuniram-se em torno deles facções contra e a favor. Mas o que sempre me instigava era uma dúvida: "E na Rússia?". Lá, como em qualquer lugar, a história era recontada pelos vencedores. Czares como Pedro, o Grande, e Catarina, a Grande, eram mencionados nas escolas e para turistas estrangeiros. São Petersburgo, que na época se chamava Leningrado, tentara apagar a história dos últimos czares. Era permitido, por exemplo, aos turistas visitar o Palácio de Catarina, em Tsarskoye Selo, a antiga "Vila do Czar", localizada perto da ex-capital, mas ninguém informava onde ficava o Palácio de Alexandre, residência do czar Nicolau II e sua família. Se um historiador russo quisesse estudar os diários e as cartas escritos por Nicolau e Alexandra, seria tachado como uma pessoa suspeita, inimiga do regime soviético. Imagine então alguém do Ocidente conseguir acesso a qualquer tipo de material que elucidasse o caso. Somente com a queda do comunismo foi que diversas histórias emergiram.

Uma delas foi a de dois curiosos, o geólogo russo Alexander Avdonin e o seu então amigo, o cineasta Geli Ryabov, que juntos, na década de 1970, foram atrás de testemunhas do assassinato e conseguiram até acesso a uma cópia do relatório do chefe dos executores da família Romanov, Yakov Yurovsky. Com base nos relatos coletados, depois de muito procurar, chegaram, em 30 de maio de 1979, a uma cova rasa na floresta, próxima à velha estrada de Koptyaki, e fizeram a descoberta que encerraria um dos maiores mistérios do século XX. Eles conseguiram achar o local do sepultamento da última família imperial russa. Além dos ossos enterrados, só havia alguns projéteis. Nenhuma roupa, nenhum adereço, nada que revelasse de quem eram aqueles nove corpos. Mas eles tinham uma certeza: eram dos Romanovs, uma das dinastias mais ricas e poderosas do mundo até a queda do Império Russo.

A tragédia dessa família foi proporcional em magnitude ao poder, à riqueza e ao glamour pelos quais ficou conhecida e que incendeiam, há gerações, a imaginação de milhares de pessoas. E é a história deles que eu quero contar para vocês.

Esta é a história de um mundo desaparecido, de uma era de incertezas que levou ao colapso de um dos maiores impérios que já existiu. O caos da Revolução Russa fez naufragar um universo de luxo e de prazeres, de amores e de misticismo, de belezas e doçuras. Ecos desse passado surgem nas lembranças dos sobreviventes dessa era, quando garotas adolescentes de vestidos e chapéus brancos suspiravam por seus pretendentes e pais amorosos relutavam em ver os filhos crescerem. Esta é também a história das angústias de uma mãe e de um pai, que, por uma infelicidade do destino, não era um simples burguês, mas sim um imperador despreparado para os anseios de uma sociedade em constante mutação.

Amor e ódio, fé e paixões, vida e sangue, poder e morte resumiriam bem os Romanovs, mas ainda há muito mais o que falar sobre eles.

As famílias do czar Nicolau II e de sua esposa Alexandra

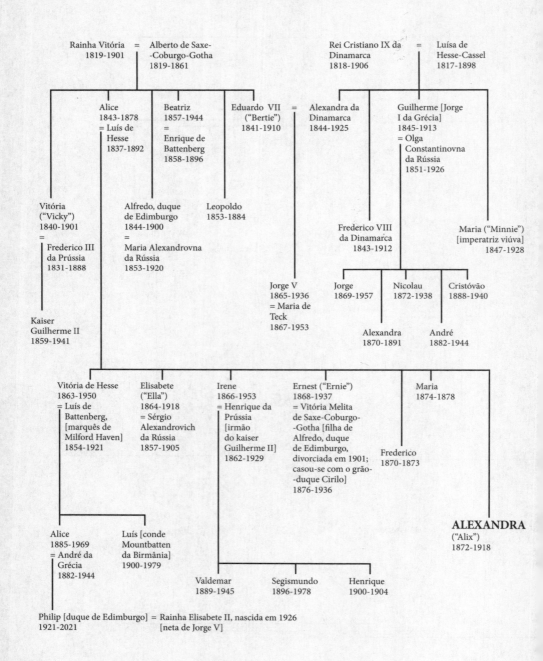

Obs: Alguns nomes se repetem nas duas árvores genealógicas devido aos casamentos.

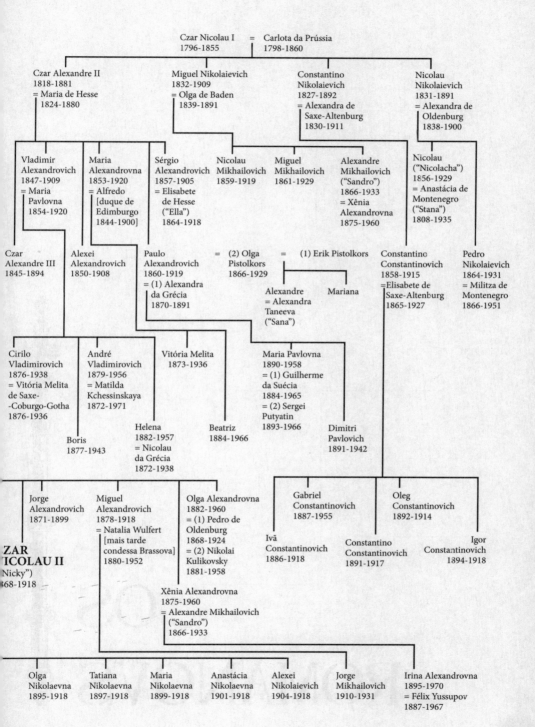

OS ROMANOVS

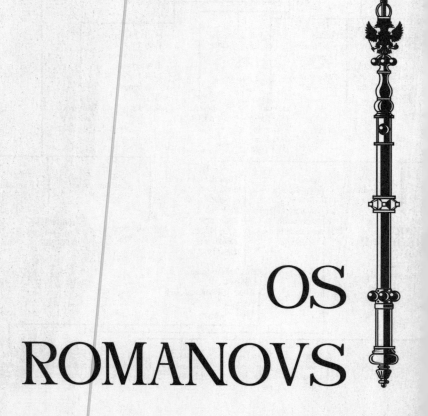

Nicolau e Alexandra a bordo do iate *Standard*, em 1908.

O czar Ivã IV, apelidado de O Terrível (1530-1584), foi o primeiro soberano russo a unir diversos estados num único império multicultural e autoproclamar-se czar de Todas as Rússias. A sua primeira esposa, e a primeira czarina da Rússia, foi Anastácia Romanovna Zakharina. Ela fazia parte de uma das doze famílias russas importantes que descendiam do boiardo[1] Andrei Kobila. O pai de Anastácia, Roman Zakharin-Yuriev, mudou o seu sobrenome, e assim foi fundada a família Romanov.

Ivã, o Terrível, num ataque de loucura, assassinou o próprio herdeiro, Ivã. Ao falecer, o czar deixou o trono para seu filho mais jovem, Teodoro I, que não se manteve muito tempo no poder e acabou sendo assassinado em 1598. Dessa data em diante, começou o que ficou conhecido na história da Rússia como "Tempo de Dificuldades". Havia fome nos campos, os invernos estavam mais rigorosos, uma sucessão de usurpadores ocupou o trono russo por curtos espaços de tempo. Além disso, os poloneses invadiram o país, tomaram o Kremlin em Moscou e tentaram implantar o catolicismo. Uma assembleia de nobres reuniu-se e elegeu Miguel Romanov, sobrinho-neto da czarina Anastácia, como czar. Para isso, tiveram que ir retirá-lo do mosteiro Ipatiev, perto da cidade de Kostroma, onde ele vivia.

Ao longo dos séculos, o império foi crescendo em tamanho e número de povos conquistados. Chegou a possuir uma área equivalente a um sexto do globo terrestre, estendendo-se do Pacífico à fronteira com a Alemanha, no qual o sol nunca se punha e que era governado por um czar autocrata que só devia satisfações a Deus.

Ao contrário do que ocorria fora da fronteira russa, pouca coisa mudava dentro dela, que chegou às vésperas do século XX como um estado semifeudal. As primeiras tentativas sérias de modernizar o império, após a grande revolução ocidentalizante perpetrada pelo czar Pedro, o Grande, foram realizadas por Alexandre II, o 16º czar

---

[1] Boiardo era o título dado a uma pessoa da mais alta camada da aristocracia russa, correspondente aos membros de mais alto escalão de cerca de duzentas famílias, descendentes de antigos príncipes, nobres da antiga Moscóvia e aristocratas de origem estrangeira.

da dinastia Romanov. Ele havia iniciado o seu reinado em 1855, enfrentando todos os problemas herdados do pai, Nicolau I.

Além do modelo absolutista russo, posto em xeque durante o reinado anterior, Alexandre assumiu um país desgastado pela Guerra da Crimeia. Ao subir ao trono, pôs fim à guerra com o Tratado de Paris de 1856. Após resolver a questão militar, mesmo com grandes perdas para o império dos Romanovs, Alexandre II começou uma série de reformas sociais e políticas. Em 1861, o chamado "czar libertador" libertou os servos, camponeses vinculados à terra onde viviam e na qual trabalhavam desde o século XVII, reformulou o sistema judiciário e recriou os *zemstvos* (assembleias populares).

Apesar das boas intenções do czar, diversas camadas sociais acabaram descontentes. A nobreza e os latifundiários, diante da perda de seus privilégios, fizeram de tudo para prejudicar as novas reformas. Os servos libertos agora podiam sair das terras e ir para onde quisessem, assim como podiam se casar com jovens de outras propriedades. Mas, sem dinheiro para fazer a plantação e para colher, recorriam aos antigos patrões, que os ignoravam, levando muitos camponeses a morrer à míngua.

Em busca de melhores condições e sem terem mais tolhido seu direito de se estabelecer onde quisessem tolhido, milhares deles abandonaram o campo e foram para as grandes cidades, como Moscou, São Petersburgo, Odessa e Kiev, onde a indústria dava os seus primeiros passos. Mas lá também sua situação não melhorou. Os ex-camponeses, que antes possuíam suas próprias casas, agora tinham que dividir um quarto com várias outras famílias. Ao saírem do campo, eles encontraram na cidade uma condição miserável de subsistência e uma falta total de esperança de melhoria. Revoltados com o que viam, estudantes e literatos iniciaram uma campanha voltada às massas, para que elas começassem a formar uma consciência própria e passassem a lutar pelos seus direitos.

OS PRIMEIROS TERRORISTAS MODERNOS

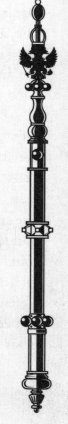

Czar Alexandre II, *circa* 1880.

Nesse ambiente, em 1879, surgiu o grupo Narodnaya Volya (Vontade do Povo), um dos primeiros a usar o terrorismo como principal arma de luta. Operando na clandestinidade, eles defendiam o assassinato político de membros do governo como uma arma para quebrar o próprio governo e despertar a população para a revolução. Claro que o alvo principal foi o czar.

Várias tentativas de matar Alexandre II falharam. A mais espetacular foi o atentado ao Palácio de Inverno, o maior de São Petersburgo, capital da Rússia na época. Tanto a cidade quanto o palácio eram os símbolos máximos da monarquia e da ocidentalização da Rússia.

Na noite de 5 de fevereiro de 1880, Stephan Khalturi, da Narodnaya Volya, infiltrado no palácio como um dos operários de uma ala em obras, conseguiu colocar uma bomba-relógio na sala de descanso dos guardas. O local ficava diretamente abaixo da sala de jantar do czar e de sua família. Normalmente, Alexandre jantava no local às dezoito horas; mas, naquela noite, ele atrasou-se meia hora. Se ele não foi pontual, a bomba foi, matando quatorze soldados, ferindo sessenta pessoas e destruindo uma parte do edifício.

Meses após o atentado, a esposa do czar, Maria Alexandrovna, antiga princesa de Hesse e Reno, faleceu de tuberculose, deixando o marido livre para se casar com a amante, a princesa Catarina Dolgoruky, com quem ele já tinha filhos. Temendo pela vida de Catarina e das crianças, Alexandre II os havia instalado no próprio Palácio de Inverno, no andar superior aos apartamentos da imperatriz. O czar e Catarina casaram-se secretamente após o falecimento da czarina, mas a felicidade do casal duraria pouco.

Em 13 de março de 1881, após escapar de sete tentativas de assassinato, Alexandre II teve sua carruagem alvejada por uma bomba nas ruas de São Petersburgo. A explosão matou dois cossacos da guarda e feriu gravemente outro. O imperador, que nada sofrera, saiu do veículo para ver como os soldados e o cocheiro estavam. Ainda teve tempo de perguntar se o terrorista capturado estava bem, antes que outra bomba, recém-lançada, explodisse sob os seus pés. Com

Atentado ao czar Alexandre II em São Petersburgo, 1881. *Desenho de G. Broling.*

o corpo destruído, mas ainda consciente, Alexandre pediu para ser levado ao Palácio de Inverno, para morrer lá.

O neto mais velho do czar, Nicolau, de 12 anos, filho do czaréviche Alexandre, estava com a mãe, Maria, se preparando para encontrar seus primos e sair para patinar quando ouviram as explosões. A família inteira foi convocada para a sala onde Alexandre II estava. Nicolau vestia a sua roupa de marinheiro, e Maria ainda estava com os patins na mão. Pouco tempo depois, com os parentes ao redor, o czar exalava o seu último suspiro diante do filho mais velho, o agora czar Alexandre III, e do seu herdeiro, o futuro czar Nicolau II.

Alexandre III iniciou uma dura repressão contra os revolucionários e terroristas, e o projeto da Constituição que Alexandre II havia iniciado foi esquecido. O novo czar, ignorando as necessidades de um império tão vasto e fechando os olhos para as dificuldades do proletariado, só conseguia enxergar terroristas em toda parte. Como medidas imediatas, reduziu o poder dos *zemstvos*, censurou a imprensa e dificultou ao máximo o ingresso das crianças de classe baixa nas escolas. Assim, Alexandre III extirparia, mas não eficientemente, o terrorismo revolucionário através do chamado "terrorismo oficial", fermentando a revolta e atiçando ainda mais o espírito revolucionário.

O CZAR COM PUNHOS DE FERRO

Czar Alexandre III e sua família, em 1890. Da esquerda para a direita: Miguel, a imperatriz Maria, o czarévìche Nicolau, futuro Nicolau II, e Xênia. Sentados: no centro, o czar Alexandre III com a filha Olga, e à direita, o grão-duque Jorge.

O czar Alexandre III era um homem enorme, com mais de 1,90 metro de altura. De estrutura corporal grande e bastante forte, era capaz de dobrar uma barra de ferro com as mãos. Contrastava com a figura da esposa, Maria, uma mulher miudinha, bonita e supervaidosa, muito preocupada com a pele e, principalmente, com roupas e joias.

Era comum que imperadores criassem grandes obras arquitetônicas para marcarem seu reinado. Alexandre III deu início ao seu mandando construir a Catedral do Sangue Derramado no local em que seu pai fora assassinado. Tão importante quanto o local era o fato de que a arquitetura da igreja espelhava as ideias conservadoras do monarca, que valorizava a cultura e as tradições russas. A construção não possui nenhuma característica neoclassicista que lembre a arte europeia. O projeto era tão grandioso, com tantos detalhes em cúpulas, pilastras e mosaicos, que só seria finalizado no reinado seguinte.

A história de seu casamento também não foi bem o conto de fadas que se espera ler nos livros sobre uma família imperial. Alexandre III não era para ser czar: o herdeiro do trono era seu irmão mais velho, Nicolau Alexandrovich, que estava noivo da princesa dinamarquesa Dagmar. Mas, com a morte de Nicolau em 1865 e a mudança na linha de sucessão, Dagmar acabou se casando com Alexandre um ano após o falecimento do antigo noivo.

Como bem lembrou o escritor dinamarquês Hans Christian Andersen ao se despedir de sua princesa quando ela embarcou para a Rússia: "Dizem que existe uma corte brilhante em São Petersburgo e que a família do czar é simpática, mas mesmo assim ela vai a caminho de um país desconhecido onde as pessoas são diferentes e a religião é diferente".[2] Uma das primeiras atitudes de Dagmar foi entrar para a Igreja Ortodoxa. Ao ser batizada na religião de sua nova pátria, o nome dela passou a ser Maria Feodorovna.

O patronímico Feodorovna vem de Nossa Senhora de São Teodoro, ou São Feodor em russo, que é a padroeira da família Romanov. Uma

---

2 HALL, 1999.

O czaréviche Alexandre, futuro czar Alexandre III,
e sua noiva, Dagmar da Dinamarca, *circa* 1860.

curiosidade sobre essa santa é que, assim como com Nossa Senhora da Conceição Aparecida aqui no Brasil, a madeira da estátua dela escureceu, tornando-a conhecida como Virgem Maria Negra.

Alexandre e Maria não poderiam ser mais diferentes, não só fisicamente, mas em temperamento. Enquanto ele era direto e quase rude, ela era paciente e charmosa. No entanto, e apesar da maneira desagradável como foram levados a se casar, os dois tornaram-se extremamente afeiçoados um ao outro, apoiando-se mutuamente nas maiores crises. Maria adorava festas; Alexandre as odiava. No entanto, para agradá-la, consentia todos os bailes que ela quisesse dar e acompanhava-a a todos os outros durante a temporada. Enquanto ela dançava uma música atrás da outra, ele ficava jogando cartas. Quando achava que já estava ficando tarde, começava a mandar embora os músicos, um por um, até que sobrasse apenas um. Então Maria consentia em dar o baile por encerrado.

Além de diferir do pai na condução da política russa, outra mudança significativa no reinado de Alexandre III foi a transferência da residência da família para o Palácio de Gatchina. Depois do atentado contra o Palácio de Inverno e do assassinato de seu pai em São Petersburgo, o czar não se sentia mais seguro na capital. Resolveu ir com a família para esse palácio, afastado dez quilômetros de São Petersburgo, e que era usado como uma casa de campo. Lá, imaginava, levariam uma vida mais tranquila.

De fato, os Romanovs não sofreram nenhum atentado em casa, mas isso não significava que os terroristas houvessem desistido. A tentativa mais notória ocorreu quando o trem em que eles viajavam foi atingido por uma bomba. Alexandre III salvou todo mundo segurando o teto do vagão nas próprias costas. Graças à sua força física, nenhum membro da família se feriu.

A repressão aos movimentos opositores tornou-se cada vez mais dura, mas os revolucionários continuaram a existir. Em 1887, por exemplo, cinco estudantes, membros de uma organização inspirada pela Narodnaya Volya, foram presos acusados de organizar um atentado contra o czar. Embora tenham sido pegos apenas com uma bomba desativada, eles foram condenados à morte. Um dos jovens era Alexandre Ulyanov, cujo irmão mais novo, Vladimir, passaria a estudar Marx e, sob o apelido de Lênin, acabaria liderando a revolução que executaria o último czar Romanov.

A família imperial russa na Crimeia, em 1893. De pé, da esquerda para a direita: o herdeiro do trono, Nicolau, e seus irmãos Jorge e Xênia. Em primeiro plano, da esquerda para a direita: a imperatriz Maria, a sua filha Olga e o czar Alexandre III. Sentado no chão, o grão-duque Miguel.

O PRÍNCIPE VIAJA O MUNDO

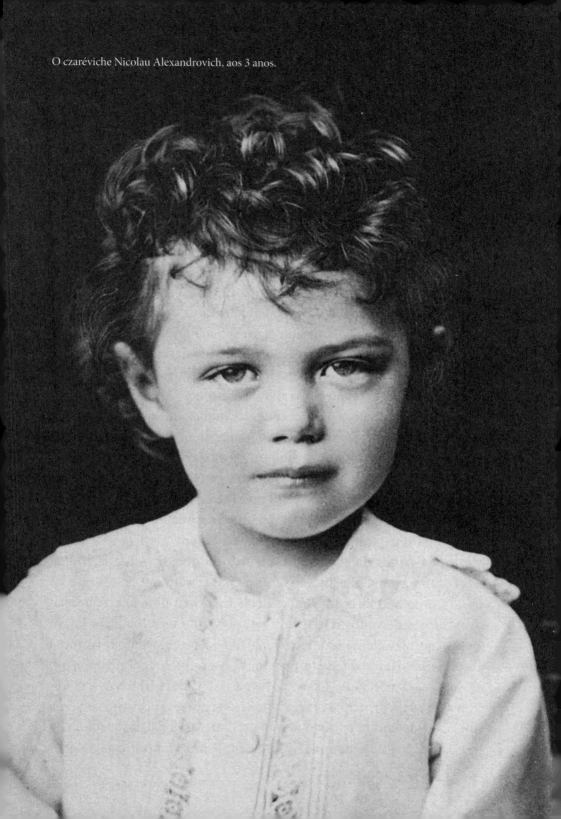

O czaréviche Nicolau Alexandrovich, aos 3 anos.

Nascido em 6 de maio de 1868 – 18 de maio no calendário juliano –, o futuro czar Nicolau II cresceu achando-se diminuído diante da força gigantesca do pai e da altura não só dele, mas do restante da família, incluindo irmãos, tios e primos. O primogênito de três irmãos e duas irmãs chegaria apenas a 1,70 metro, um dos mais baixos entre todos os czares Romanov. Nicolau tentava compensar sua baixa estatura fazendo muita ginástica, combinada a outros exercícios. Ele gostava de equitação e de tênis, fazia longas caminhadas com qualquer clima e parecia nunca se cansar. Em 2020, viralizou nas mídias sociais uma foto do czar, já adulto, nadando nu num rio na Finlândia, e o corpo musculoso foi bastante comentado. Mas conviver com o pai e os tios, todos enormes, fazia com que ele se sentisse inferior, e nem o corpo atlético nem os olhos azul-claros ou o cabelo puxado para o dourado eram suficientes para aumentar sua autoconfiança. O fato de ter vivido em constante isolamento durante a infância, pela segurança necessária devido à ameaça causada pelos revolucionários, agravou ainda mais a situação.

Como contraponto a Alexandre III, autoritário e mal-humorado, a czarina Maria Feodorovna era uma mãe atenciosa e amorosa, que supervisionava os estudos dos filhos e lhes dava conselhos. Nicolau, apelidado de Nicky pela família, era um garoto quieto e tímido, que cresceu muito mais apegado a essa mãe calorosa e tolerante do que ao pai assustador. Maria, porém, tinha uma personalidade dominadora demais para permitir qualquer grau de independência aos filhos. Mesmo já saídos da adolescência e avançando para a idade adulta, eles continuavam a ser tratados como crianças em casa.

Como herdeiro do trono, Nicolau recebeu uma boa educação com tutores privados. Destacava-se sobretudo em línguas – falava inglês, francês e alemão com excelente fluência –, e gostava de história. O mais importante desses tutores foi Konstantin Pobedonostsev, um filósofo reacionário que já havia educado Alexandre III e seus irmãos. Considerado o principal representante do conservadorismo russo na época, ele defendia o direito divino do czar, a autoridade absoluta da Igreja Ortodoxa, a xenofobia e o antissemitismo. Contrário a qualquer

O czaréviche Nicolau Alexandrovich em 1889.

reforma política ou social na Rússia, considerava movimentos democráticos e liberais como inimigos da unidade russa. A nação deveria ser controlada política e religiosamente por meio de uma autocracia que regulasse o comportamento dos cidadãos. Esse pensamento teve profunda influência sobre Nicolau e pautaria suas decisões políticas como czar.

Em casa, nunca se falava de política. Mantido sempre afastado dos assuntos de Estado, Nicolau nunca teve a chance de sentir o peso do trabalho de chefiar o país que um dia viria a herdar. Isso se refletiria no futuro, quando ele mostraria dificuldade em assuntos que a vida de monarca lhe exigiria, principalmente nas áreas econômica e política. Sua educação seguiu o molde da de todos os herdeiros e membros da realeza, da nobreza e da aristocracia: aos 19 anos, entrou para o Exército, onde chegou à patente de coronel. Mais tarde, embora pudesse ter facilmente assinado um decreto que o alçaria ao posto de general, ele preferiu se manter como coronel. A decisão não foi vista com bons olhos pelo alto escalão militar, mas para ele era mais importante manter vivo o vínculo afetivo que acompanhava a patente dada por seu pai.

Após três anos de serviço militar, Nicolau fez uma jornada de dez meses, entre 1890 e 1891, percorrendo 51 mil quilômetros por Europa, África e Ásia, áreas de interesse geopolítico para o Império Russo. A viagem começou no dia 23 de outubro. Um trem levou-o de Viena até Trieste, onde ele embarcou no navio *Pamiat Azova* (Memória de Azov).

A primeira parada foi na Grécia, de onde seguiu para o Egito, subindo o rio Nilo até Assuã. A comitiva cruzou o Canal de Suez e contornou a Península Arábica até a Índia, onde Nicolau visitou diversas cidades e atrações turísticas, como o Taj Mahal. Durante a viagem, o czaréviche comprou muitas obras de arte para a ampliação dos acervos de museus de São Petersburgo. As paradas seguintes foram Singapura, Java e Sião (atual Tailândia), onde ele foi hospedado pelo rei Rama V. Depois, houve uma pausa na China, onde ele e a sua comitiva caminharam por plantações de chá e conheceram um pouco o país. Por fim, chegaram ao Japão em 15 de abril de 1891.

Nicolau durante a sua viagem ao Japão, em 1891.

Nicolau visitou diversas cidades japonesas e encantou-se com a cultura, em especial as técnicas de tatuagem. Em Kobe, tatuou um dragão no antebraço direito – nos dias de hoje, pode soar estranho pensar num monarca tatuado mais de um século atrás, mas a rainha Olga da Grécia, tia de Nicolau, o rei Eduardo VII, da Inglaterra, e a imperatriz Sissi, da Áustria, também eram tatuados.[3] Em 29 de abril, na cidade de Ōtsu, durante uma confusão que nunca foi esclarecida para o público, um policial japonês desferiu um golpe de sabre em Nicolau. A lâmina acertou-lhe a cabeça, abrindo um ferimento que deixaria uma cicatriz. Quando o sabre desceu novamente em direção ao czar, o príncipe Jorge da Grécia, que era seu primo e fazia parte da

---

[3] O então príncipe de Gales, futuro Eduardo VII, tatuou uma cruz de Jerusalém ao visitar a cidade, em 1862, e Sissi mandou desenhar uma âncora no ombro, em 1888. Existem rumores não confirmados de que a rainha Vitória também tinha uma tatuagem.

comitiva, aparou o golpe com uma bengala e salvou a vida do herdeiro do trono russo. O policial tentou fugir, mas foi perseguido e alcançado por condutores de jinriquixá. A proeza rendeu a esses trabalhadores uma homenagem do governo imperial russo.

O governo japonês desdobrou-se em desculpas pelo ataque, mas àquela altura era mais prudente que o czarévich retornasse à terra natal e o restante da viagem foi cancelado. O imperador japonês foi acompanhá-lo pessoalmente até o navio no dia 7 de maio, e Nicolau deixou o Japão, chegando quatro dias depois a Vladivostok, no extremo leste da Rússia, de onde cruzou o país inteiro de barco e de trem até chegar a São Petersburgo, no extremo oeste.

Nicolau apreciava a relativa liberdade da vida militar, bem menos restritiva que o seu papel de herdeiro na corte. No Exército, ele desfrutou da liberdade que nunca tivera e passou a apreciar essa vida, que incluía obedecer a regras, mas também se divertir sem restrições, inclusive em bebedeiras homéricas e noites inteiras passadas em festas. Esse período colaborou muito para a formação de sua personalidade e de seus hábitos, assim como lhe proporcionou muitas de suas melhores amizades. Foi nessa época que ele conheceu Matilda Kschessinskaya, uma jovem bailarina de origem polonesa do Balé Imperial.

A jovem atraente foi apresentada a Nicolau pelo próprio czar Alexandre III, em 1890, durante um evento público na academia de balé, mas foi só dois anos depois, quando ela já era primeira bailarina da companhia do Teatro Mariinski, que os dois iniciaram um romance. No começo, o namoro era composto de flores, mensagens e visitas castas, mas logo tornou-se tórrido, e Nicolau chegou até a montar uma casa para ela morar. O caso entre o czarévich e a bailarina foi retratado, de maneira bastante ficcionalizada, no filme *Matilda*, dirigido por Alexei Uchitel, que causou tumultos na Rússia quando foi lançado em 2017. Políticos conservadores tentaram proibir sua exibição, e uma bomba caseira chegou a ser lançada contra o estúdio do diretor.

Apesar de hoje em dia ser possível encontrar rainhas ou príncipes consortes que não nasceram nem na realeza nem na nobreza, na época era inviável um herdeiro do trono realizar um casamento

Matilda Kschessinskaya, bailarina do Teatro Mariinski, em 1903.

considerado "desigual", ou seja, casar-se com alguém que não fosse da mesma classe social. Um dos poucos membros de uma casa real da época a tentar isso foi o arquiduque Francisco Ferdinando da Áustria, que amargou diversas humilhações contra a sua esposa e os seus filhos impostas por seu tio, o imperador austríaco Francisco José, e pela corte dos Habsburgos. Nicolau de forma alguma levaria tão longe o seu relacionamento com Matilda. Ele enfrentaria, sim, o mundo todo se fosse preciso, mas pelo alvo de sua verdadeira paixão: uma prima distante, quatro anos mais nova que ele, chamada Alix de Hesse.

Nicolau com a manga da camisa arregaçada, mostrando o dragão que tatuou no braço durante sua viagem ao Oriente. Livádia, Crimeia, *circa* 1910. *(Romanov Collection. General Collection, Beinecke Rare Book and Manuscript Library, Yale University.)*

UMA PRINCESA ALEMÃ

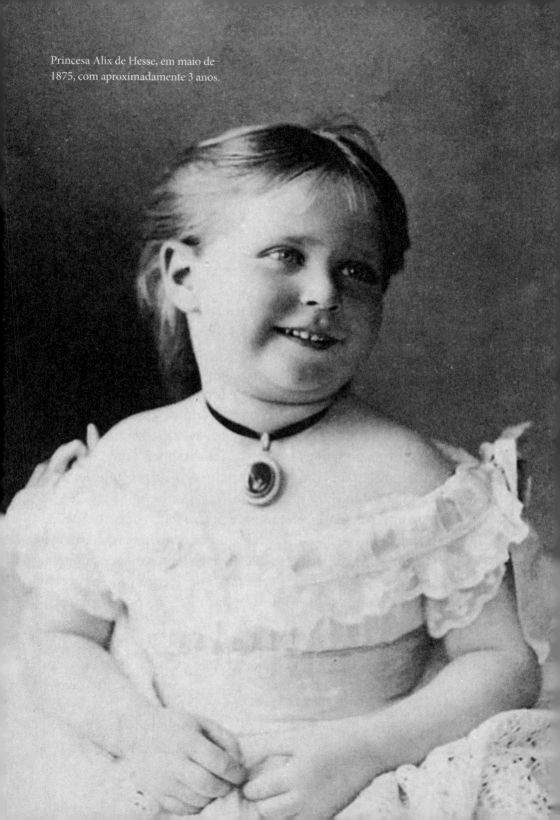
Princesa Alix de Hesse, em maio de 1875, com aproximadamente 3 anos.

Alix de Hesse nasceu em 6 de junho de 1872 em Darmstadt, capital do grão-ducado de Hesse e Reno, na Alemanha. Era a sexta dos sete filhos do grão-duque Luís IV de Hesse e Reno, primo do czar Alexandre III por meio da mãe deste, a czarina Maria Alexandrovna, e da princesa Alice, filha da rainha Vitória da Inglaterra. A mãe da menina queria que a filha fosse batizada com o seu nome, mas, incomodada com a forma como os alemães o pronunciavam, escolheu Alix para que o nome da garota soasse, em alemão, o mais próximo possível da sonoridade inglesa para Alice.

Um ponto semelhante da infância de Nicolau e Alix foi a tragédia familiar. Enquanto Nicolau viu o avô morrer e a infância se transformar numa prisão domiciliar devido aos atentados contra sua família, Alix tinha menos de um ano quando seu irmão Frederik, três anos mais velho, morreu após sofrer uma queda de dois metros de uma janela. A morte não foi tanto em consequência da queda em si, mas da hemofilia. A doença, que dificulta a coagulação do sangue e que pode transformar uma simples lesão em causa de óbito, chegou à família real inglesa pela avó de Alix, a rainha Vitória. As filhas e netas da rainha, casadas com membros de casas reais europeias, espalharam a doença hereditária, até então sem tratamento, para as demais famílias reais.

Alix cresceu muito próxima de seu irmão sobrevivente, Ernest, herdeiro do grão-ducado, quatro anos mais velho que ela. Ele e a sua irmã mais nova, Maria, eram seus companheiros de brincadeira. Quando tinha 6 anos, em 1878, ela e quatro dos seus cinco irmãos ficaram doentes com difteria. No dia 15 de novembro, a grã-duquesa Alice foi chamada ao quarto da caçula, Maria, e encontrou-a morta. A mãe escondeu a notícia das outras crianças doentes por alguns dias, até que tomou coragem e contou para Ernest. Ao vê-lo chorar, para consolá-lo, quebrou a regra da quarentena, abraçou-o e deu-lhe um beijo. Isso foi o suficiente para ela se contagiar e adoecer. A princesa Alice faleceu no dia 14 de dezembro de 1878, no aniversário de dezessete anos da morte do seu pai, o príncipe Albert.

Alix, que até a morte da mãe e da irmã tinha sido uma criança alegre e vivaz – o que lhe valeu o apelido de Sunny, "ensolarada" –,

Família real de Hesse, em sentido horário, da esquerda para a direita: Ernest, Elisabete, grão-duque Luís de Hesse segurando sua filha Maria, Alice, Vitória, Irene, e Alix no centro.

sentiu muito essas duas perdas, que não foram as únicas. Ernest, seu outro companheiro de brincadeiras, nessa época recebeu um tutor e passou a ter aulas todos os dias. Alix ficou sozinha na sala das crianças, acompanhada de uma velha babá, que, deprimida com as mortes da pequena Maria e de Alice, chorava constantemente. As perdas também foram materiais: todos os seus brinquedos foram queimados, desinfetados ou substituídos por novos.

Como consequência de todos esses acontecimentos, Alix tornou-se uma criança fechada e tímida. A sequência de perdas em sua vida fez com que ela se tornasse uma pessoa com dificuldades em iniciar relacionamentos com estranhos e que dificilmente demonstrava suas emoções. Muitos anos mais tarde, Toni Becker-Bracht, uma amiga de infância, notaria que, enquanto assistiam a uma comédia no teatro, Alix manteve a mesma expressão séria e quase triste, e só no caminho de volta confessou que por dentro estava morrendo de rir.

Sua avó materna, a rainha Vitória, passou a ter interesse especial pelas crianças órfãs de Hesse e tomou parte na educação delas. Os netos começaram a passar os verões com ela, na Inglaterra. Alix, uma menina muito bonita, bem loirinha, tornou-se uma de suas netas preferidas. Ela guardou para sempre as lembranças ternas desses dias com a avó, como as férias em Osborne, residência real do Reino Unido, ou na Escócia, e até atividades prosaicas, como por exemplo quando Vitória a ensinou a arrumar uma cama.

Vitória tinha grandes planos para ela: desejava que Alix se tornasse rainha da Inglaterra. Mas a jovem rejeitou, em 1890, a proposta de casamento de seu primo e herdeiro do trono, o príncipe Alberto Vítor, filho de Eduardo, príncipe de Gales. Mas, se Alix era teimosa, sua avó era mais, e Vitória insistiu durante vários meses no projeto dessa união. Tanto a mãe de Alberto, a princesa Alexandra da Dinamarca, quanto a irmã dela, a czarina Maria Feodorovna da Rússia, colaboraram como puderam para que esse noivado ocorresse, mas tudo foi em vão. Por fim, Vitória desistiu e, em vez de obrigar o casamento, viu na decisão da neta um indicativo de sua força de caráter. No fim das contas, mesmo se tivesse cedido à pressão da avó, Alix não se tornaria

Alix e suas irmãs com a avó, a rainha Vitória, na Inglaterra. De pé, da esquerda para a direita: Vitória e Elisabete. Sentadas, da esquerda para a direita: Irene, a rainha Vitória e Alix.

rainha. Alberto morreu jovem, e quem herdaria o trono seria o seu irmão Jorge, duque de York, segundo filho dos príncipes de Gales.

Na época, quase todos os membros de casas dinásticas eram parentes entre si. O pai de Alix era primo do czar da Rússia, e seu tio, o príncipe de Gales, era casado com a irmã da czarina. Assim, os primos ingleses de Sunny também eram primos do czarévichi Nicolau da Rússia. Os primos Jorge e Nicolau eram tão parecidos que, quando o herdeiro britânico se casou com a princesa Maria de Teck, muitas pessoas cumprimentaram o russo pensando que ele fosse o noivo, e um dos cortesãos pediu que Jorge não se atrasasse para o casamento do primo, achando que ele fosse Nicolau.

Os dois primos parecidos: à esquerda, Nicolau II da Rússia, e à direita, Jorge V da Inglaterra. Ilha de Wight, 1909.

O que a rainha Vitória ainda não sabia, na verdade, era que a princesa Alix já estava apaixonada pelo czarévichi russo. Os dois haviam se conhecido em 1884, durante o casamento de Elisabete, conhecida como Ella, irmã de Alix, com o grão-duque Sérgio, irmão do czar Alexandre III e tio de Nicolau.

A grã-duquesa Elisabete, irmã de Alix, e o seu marido, o grão-duque Sérgio, irmão do czar Alexandre III e tio de Nicolau, março de 1884.

Toda a família ducal de Hesse viajou à Rússia para a cerimônia. Aos 12 anos, Alix ainda não tinha permissão para participar dos bailes e da maioria das festividades, podendo apenas assistir aos suntuosos desfiles da corte pelas ruas para o casamento. Mas ela foi recompensada quando passou alguns dias com a família imperial russa no maravilhoso palácio barroco de Peterhof, no golfo da Finlândia, onde Alix se divertiu em brincadeiras e passeios ao lado dos filhos do imperador, entre eles o czaréviche Nicolau, de 16 anos. Ele ficou encantado com a menina e presenteou-a com um pequeno broche. Alix aceitou, surpresa, mas em seguida colocou-o de volta na mão dele. Nicolau ficou ofendido e deu o broche para sua irmã Xênia.

Nicolau e Alix voltaram a se reunir no final de 1888, quando o grão-duque Sérgio convidou Luís de Hesse, com seus filhos solteiros Ernest e Alix, para passar a temporada de inverno na corte russa. A família ficou hospedada com Ella e Sérgio em seu palácio na avenida Nevsky, em São Petersburgo, e Nicolau visitava-os frequentemente. Como czaréviche, era sua obrigação entreter Ernest, na condição de hóspede estrangeiro, e os dois tornaram-se muito amigos. Além disso, ele começou a se sentir atraído pela irmã de Ernest, porém Alix demorou um pouco mais para perceber seus próprios sentimentos em relação a Nicolau. A família Romanov não ficou nada satisfeita com a proximidade dos dois, mas Ella e Sérgio viam com entusiasmo a aproximação e frequentemente criavam situações em que o casal pudesse se encontrar.

Alix havia debutado na primavera de 1888 e dessa vez podia frequentar a sociedade, aproveitando muito mais a sua temporada na Rússia. Isso incluía os inúmeros bailes, muitos deles oferecidos pela czarina Maria Feodorovna no seu Palácio Anichkov. Um que marcou a história foi o famoso "baile negro", no início de 1889. A festa já estava agendada quando chegou à Rússia a notícia de que o herdeiro do trono da Áustria, Rodolfo, havia se suicidado com sua amante Maria Vetsera. Anos antes, a corte austríaca realizara um grande baile durante um período de luto na corte russa, por isso foi decidido, em retaliação, manter o evento. Os convidados apenas receberam a recomendação

Família real de Hesse por volta de 1885. Em sentido horário: Ernest, Elisabete, Vitória, Irene, o grão-duque Luís e Alix.

de irem em trajes de luto, e o baile realizou-se espetacularmente com todos vestidos de negro e usando suas melhores joias.

A família de Hesse continuou na Rússia, com o grão-duque caçando ursos e os jovens deslizando de trenó na neve com os filhos do czar, até o fim da temporada de inverno, que se encerrou no domingo de Carnaval com um chá dançante para poucos convidados em Tsarskoye Selo.

DE ALIX A ALEXANDRA

Alix em 1894.

De início, a união de Nicolau com Alix não foi recebida com bons olhos por nenhuma das duas famílias. Os czares tinham outros planos para o filho, entre eles casá-lo com uma princesa real que fosse mais útil às relações da Rússia com seus aliados. Alix não era considerada uma boa noiva para o czaréviche porque sua personalidade tímida e aparentemente passiva não era bem o que se esperava de uma imperatriz. A pessoa ideal para Nicolau, segundo Alexandre III, seria a princesa Helena, filha do conde de Paris, Luís Filipe de Orléans, herdeiro presuntivo do trono da França. Helena era tida como uma das princesas mais bonitas da Europa e, paradoxalmente, estava apaixonada por Alberto Vítor, herdeiro da Inglaterra, com quem os parentes de Alix queriam que ela se casasse. O sentimento dele era recíproco. Nicolau e Alix e Alberto Vítor e Helena não eram os casais idealizados nem pela Rússia, nem muito menos pela Inglaterra, por isso as duas irmãs, a princesa de Gales e a czarina Maria, haviam juntado forças para impedir que as vontades dos jovens fossem feitas. Para completar, os Orléans também não consentiram na união da princesa Helena com Alberto Vítor.

A rainha Vitória enxergava os Romanovs como bárbaros e, além disso, já havia um deles na família. Uma tia de Nicolau, a grã-duquesa Maria, casara-se com um dos filhos da rainha britânica e não se adaptara ao protocolo e à vida na Inglaterra. Por outro lado, até hoje é lembrada por uma criação gastronômica feita em sua homenagem durante suas bodas em Londres: a bolacha Maria. Vitória via a Rússia como um mar de problemas: tinha um czar assassinado e era repleta de conflitos externos e internos que ela desconfiava que não acabariam bem. Não era o casamento dos sonhos para uma das suas netas preferidas, mas ela não impediria Alix de ser feliz e daria a sua bênção à escolha da jovem.

Mas, além de as famílias reais inglesa e russa serem contrárias ao casamento, o maior obstáculo mesmo era Alix. Não que ela não gostasse de Nicolau, pelo contrário, mas havia sido criada dentro da religião protestante e não queria ter que abandonar a sua fé de origem e se converter ao cristianismo ortodoxo; para ser a futura imperatriz russa, porém, essa era uma condição da qual ela não poderia fugir.

Por ter se casado com uma pessoa distante da linha de sucessão, Ella, irmã de Alix, podia manter sua religião, e foi por decisão própria que entrou na Igreja Ortodoxa. No entanto, uma czarina teria obrigatoriamente de se converter, e isso fez Alix hesitar em relação a sua possível união com Nicolau. Pelos cinco anos seguintes, os dois mantiveram correspondência e trocaram presentes, mas não voltaram a se ver, nem mesmo quando ela visitou a irmã, que passara a viver em Moscou. Quando a questão do casamento do czaréviche era trazida à tona, Nicolau não a enfrentava diretamente, mas recusava qualquer outra noiva que não a jovem princesa de Hesse. Em 1892, anotou em seu diário: "Meu sonho é casar algum dia com a princesa Alix H. Há muito que a amo e mais profundamente e com mais força desde 1889, quando ela passou seis semanas em São Petersburgo".[4] No início de 1894, a saúde do gigantesco czar Alexandre III começou a vacilar, e ele desistiu de fazer Nicolau casar-se com alguma outra princesa. Finalmente ele liberou o filho para fazer o pedido formal de casamento a Alix.

Nicolau e Alix voltaram a se encontrar em abril de 1894, no casamento do irmão dela, o grão-duque Ernest, com a princesa Vitória Melita de Saxe-Coburgo-Gotha. A cerimônia, em Coburgo, atraiu a nata da aristocracia europeia, incluindo a rainha Vitória da Inglaterra, avó de ambos os noivos, e o kaiser Guilherme II da Alemanha. Nicolau compareceu representando a Rússia, acompanhado por seus tios, inclusive Ella, e foi recebido na estação por Alix. Sem perder tempo, no dia seguinte tratou de pedi-la em casamento.

Desde a morte do pai de Alix, o grão-duque Luís, em 1892, e a ascensão de Ernest ao trono de Hesse, ela atuava junto com o irmão nas funções representativas de Estado; agora, com uma nova grã-duquesa de Hesse, ela não teria mais a mesma posição social na corte. Não seria nada mau, para alguém com a perspectiva de acabar virando uma solteirona morando na casa do irmão, ficar noiva de alguém de

---

4 MASSIE, 1969, p. 25.

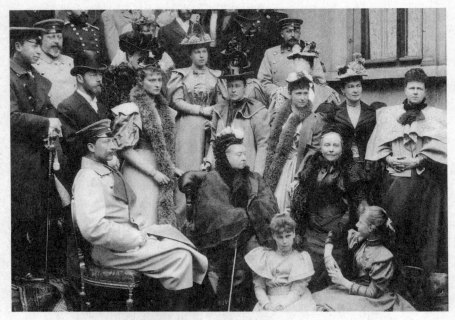

Foto de 1894 da família da rainha Vitória reunida em Coburgo para o casamento de seus netos, o grão-duque Ernest de Hesse e a princesa Vitória Melita. Na foto estão o kaiser Guilherme II da Alemanha, sentado à esquerda, e a rainha Vitória no centro. Nicolau e Alix aparecem de pé, atrás do kaiser, à esquerda.

quem gostava e ainda com a perspectiva de ser uma das soberanas mais poderosas do mundo. Mas as coisas não eram tão simples. A mudança de religião consistia num enorme obstáculo para ela. Foi só nos dias seguintes, depois de longas conversas com a avó e a irmã, que a encorajaram a respeito da conversão, que ela decidiu ceder e disse sim a Nicolau. O noivado foi anunciado em 20 de abril. Como parte dos presentes para a noiva, o czaréviche deu a ela o mesmo broche de diamantes que havia tentado lhe dar dez anos antes e que pedira de volta a Xênia. Alix o usaria até o dia de sua morte.

Imediatamente após o casamento de Ernest, Alix foi para a Inglaterra e começou sua preparação para ser czarina, recebendo lições de russo e instrução na fé ortodoxa. A czarina Maria da Rússia fez questão de enviar seu próprio confessor para instruir a futura nora.

Nicolau e Alix, já noivos, na Inglaterra, em 1894.

Como não tinha necessidade de ficar na Rússia, uma vez que seu pai o mantinha longe dos negócios públicos, Nicolau resolveu acompanhar a noiva por algum tempo, mas logo retornou a seu país.

Vivendo discretamente em Harrogate sob um nome falso, Alix tinha como companhia sua sobrinha Alice de Battenberg, de 9 anos, que mais tarde se casaria com um príncipe grego e se tornaria mãe do príncipe Philip, marido da rainha Elisabete II da Inglaterra. Alice foi redescoberta pelas gerações mais jovens graças à série *The Crown*.

Parecia a todos que os dois se casariam e teriam vários anos sossegados antes que ele assumisse o trono, porque o czar Alexandre III era um homem forte e vigoroso, a menos que morresse num dos vários atentados planejados contra ele, seguindo o mesmo destino de seu pai. Mas não foi o que aconteceu. No início de 1894, o czar desenvolveu uma nefrite, que foi piorando aos poucos. Em busca de um clima mais ameno, Alexandre e a família foram para a Crimeia, no sul da Rússia, onde a saúde dele decaiu rapidamente.

Nicolau foi encontrá-lo na Crimeia e, diante do quadro clínico do pai, antecipou a vinda da noiva para a Rússia. O czar, apesar de bastante debilitado pela doença, fez questão de se preparar para a chegada da futura nora ao Palácio de Livádia. A contragosto da esposa, que pedia seu repouso, Alexandre vestiu o seu uniforme de gala, pois era assim, segundo ele, que um czar deveria receber a futura czarina da Rússia.

O czar faleceu no dia 1º de novembro de 1894, aos 49 anos. O cunhado de Nicolau, o grão-duque Sandro, foi uma das primeiras testemunhas do abatimento que atingiu o agora jovem czar de 26 anos. O peso da coroa se fez sentir assim que o pai morreu. Segundo o grão-duque, em suas memórias, Nicolau, completamente desnorteado, perguntou a ele: "O que vou fazer? O que irá acontecer comigo, com você, com Xênia, com Alix, com mamãe, com toda a Rússia? Não estou preparado para ser czar. Nunca quis ser um. Não sei nada desse negócio de governo".[5]

---

5 ROMANOV, 1932, pp. 168-9.

Os restos mortais de Alexandre III foram transportados de trem até São Petersburgo, onde chegaram em 6 de novembro. O cortejo que o levou para ser enterrado na Fortaleza de Pedro e Paulo contava com clérigos, alguns deles carregando estandartes, à frente do caixão coberto por um dossel e cercado por soldados montados. A princesa alemã Alix entrou na capital do seu futuro império junto ao cortejo fúnebre. Apesar das diferenças, tanto a corte quanto o povo concordavam numa coisa: uma futura imperatriz chegar atrás de um caixão não era de bom agouro.

Na manhã seguinte, Alix foi batizada na fé ortodoxa e passou a ser chamada de Alexandra Feodorovna. Ela ficou os dias seguintes hospedada com sua irmã Ella e seu cunhado Sérgio e viu muito pouco seu noivo, o agora czar Nicolau II, que tinha que se dedicar aos assuntos de Estado em meio às inúmeras cerimônias religiosas ligadas ao funeral de seu pai.

O vestido negro do luto foi substituído pelo branco do casamento no dia 26 do mesmo mês. Era o aniversário da czarina viúva Maria, portanto, um dia de luto aliviado na corte. A tristeza que tomava a família impediu que houvesse qualquer grande festividade, e optou-se por fazer uma cerimônia bem simples no Palácio de Inverno. O local já não era mais a residência imperial, mas ainda abrigava eventos oficiais. Muitos príncipes que viajaram para o funeral permaneceram para o casamento, entre eles o grão-duque Ernest de Hesse, irmão de Alexandra, o príncipe e a princesa de Gales e o príncipe Henrique da Prússia, irmão do kaiser Guilherme. Tudo dava a impressão de que aquele casamento era parte das cerimônias funerárias do imperador russo.

O casamento ocorreu no Salão Malaquita do Palácio de Inverno. Alexandra usava diversas joias do tesouro imperial russo, incluindo uma coroa de diamantes, posta em sua cabeça pela czarina Maria, um vestido de corte de tecido de prata, com uma longa cauda debruada de arminho, e uma capa de brocado de ouro, também com arminho. As roupas eram tão pesadas que a cauda tinha que ser carregada por camareiros. Ao fim da cerimônia, quando os convidados se retiraram para outra sala, o grão-duque de Hesse viu sua irmã ficar parada sozinha, pois não tinha força suficiente para arrastar o vestido ao andar.

Apesar de tudo, eles estavam felizes. Naquela noite, Alexandra escreveu no diário do marido antes de dormir: "Finalmente unidos, ligados para toda a vida, e quando esta vida acabar, nos encontraremos no outro mundo e ficaremos juntos pela eternidade. Sua, Sua".[6]

Devido à rapidez com que as coisas se precipitaram, não havia um lugar preparado para o casal em nenhum dos palácios imperiais. Nos primeiros tempos, Nicolau e Alexandra continuaram morando com a mãe do czar nos antigos aposentos dele no Palácio Anichkov, acrescentados de mais duas salas, totalizando seis pequenos cômodos. Os dois compartilhavam uma sala de visitas, o que impedia que dessem audiência simultaneamente. Toda vez que Nicolau tinha que receber alguém, Alexandra precisava ir para o quarto. Também não tinham uma sala de jantar adequada para receber convidados. Os poucos momentos livres que o czar conseguia entre um assunto de Estado e outro eram passados escapando para junto de sua esposa para um cigarro e algumas palavras.

Mais tarde, um apartamento foi preparado para eles no Palácio de Inverno. Além disso, o casal mandou renovar o Palácio de Alexandre, uma propriedade em Tsarskoye Selo, a aproximadamente 26 quilômetros da capital, para ser sua residência. Ali eles podiam ter uma vida simples, mais parecida com a de uma família burguesa.

Assim como Nicolau se sentia intimidado pelo pai, Alexandra teve os mesmos sentimentos em relação à sogra. A alegre e esfuziante imperatriz viúva Maria Feodorovna conhecia toda a sociedade de São Petersburgo, pois havia tido um longo período de adaptação da sua chegada na corte como noiva do czarévitche Alexandre até subir ao trono como czarina. Era vaidosa, vestia-se com pompa e luxo. Era conhecida pela pele impecável, mesmo depois da idade avançada. Reza a lenda que ela foi uma das primeiras pessoas a fazer *peeling*. Foi difícil para Maria afastar-se do seu antigo posto e dar espaço à

---

6 MASSIE, 2014. p. 66.

A imperatriz viúva Maria Feodorovna em sua sala de visita e o seu filho, o czar Nicolau II, ao fundo.

nova nora e nova imperatriz. Não demorou muito para as rusgas entre elas começarem.

Uma das primeiras questões envolveu as joias do Estado. Maria não quis abrir mão delas para a nora, apesar de contar com um belo acervo de joias pessoais. Alexandra, ressentida com a sogra, queria recusar as peças tiradas da imperatriz viúva, que a jovem, como nova czarina, deveria usar. Para minimizar os atritos e evitar novos escândalos, decidiu-se que as joias ficariam sob responsabilidade do Tesouro, podendo ser solicitadas pelas duas quando determinados eventos exigissem seu uso, tal como a coroação de Nicolau, em Moscou.

A influência da imperatriz viúva na vida do casal continuou intensa por vários anos. Ela nomeou todos os servidores de Alexandra e, por ter mais experiência em assuntos de Estado que o filho, graças à cumplicidade que tinha com o marido, Alexandre III, tomou para si o dever de se tornar conselheira do jovem czar. O casal fazia as refeições com ela em Anichkov, e mesmo após terem se mudado costumavam tomar o café da manhã com Maria todos os dias. Os temperamentos e gostos diferentes das duas mulheres, porém, faziam com que houvesse pouco entendimento entre elas.

Se a vida pessoal de Nicolau estava longe de ser perfeita devido aos atritos entre mãe e esposa, na esfera do governo era tudo muito pior. Depois de ter testemunhado a morte traumática do avô e ser pego de surpresa pela do pai, Nicolau sentia que não estava preparado para governar. O jovem czar tinha uma natureza indecisa, demorava a chegar a conclusões por si mesmo e hesitava em tomar decisões importantes. Sua insegurança fazia com que não pedisse conselhos, por achar que isso mostraria fraqueza. Além disso, era uma pessoa solitária e preferia trabalhar sozinho, recusando-se até mesmo a ter uma secretária. Pilhas e pilhas de documentação começaram a se acumular em seu gabinete.

UM OVO MUITO ESPECIAL

Ovo Treliça de Rosas criado por Fabergé para Nicolau II presentear a imperatriz Alexandra na Páscoa de 1907. *(Coleção Walters Art Museum.)*

Se Alexandra já havia se maravilhado com as joias que ganhara de noivado, fazendo a avó adverti-la para que não ficasse muito orgulhosa, nada deve tê-la preparado para a sua primeira Páscoa na corte imperial russa como imperatriz.

Além de todas as pompas da festa litúrgica, bem característica nos países eslavos, onde a ressurreição do Cristo assume uma importância muito maior que a do seu nascimento, também havia, como até hoje no Ocidente, o costume de trocar ovos de Páscoa. A simbologia do ovo remete ao renascimento e à vida, e acabou representando o renascimento do Cristo, principalmente entre os povos cristãos dos países eslavos, que passaram a dar ovos decorados como presente. Normalmente, trata-se de ovos de galinha esvaziados ou mesmo ovos de madeira, pintados com cores vivas e desenhos simbólicos.

Mas não era um ovo de galinha ou de madeira que Alexandra devia esperar ganhar de Nicolau, um dos homens mais ricos do mundo, na sua primeira Páscoa casados, em 1895.

O marido entregou a ela uma caixa que, ao ser aberta, revelou um ovo de Páscoa em estilo Luís XVI, de ouro coberto com esmalte vermelho-translúcido e branco-opaco, com setas e guirlandas cravejadas de diamantes. Numa das extremidades, embaixo de um diamante transparente, enxergava-se um retrato em miniatura de Nicolau. Se tudo isso já era impressionante, ao abrir o ovo, Alexandra encontrou um botão de rosa de ouro, coberto de esmalte amarelo e verde, que também se abria para revelar uma miniatura da coroa imperial cravejada de diamantes, lembrando a ela o seu novo posto como imperatriz da Rússia. A coroa, por sua vez, tinha dentro um pingente de rubi em formato de ovo.

Essa foi uma das inúmeras criações de um gênio da joalheria russa chamado Peter Carl Fabergé.

Os Fabergés eram uma antiga família de ourives originária da França, que se instalou na Alemanha e migrou para a Rússia em 1830. Gustav Fabergé fundou a Casa Fabergé em São Petersburgo em 1842, mas foi seu filho Peter Carl, nascido em 1846, quem elevou a marca ao status de artigo de luxo cobiçado. Quando ele tinha 14 anos, seu pai

Cartão de visita de Carl Fabergé.

deixou a empresa com um sócio e foi com a família para Dresden, na Alemanha, onde Peter estudou negócios antes de se tornar aprendiz de ourivesaria. Depois, foi mandado para a Inglaterra para aperfeiçoar o idioma inglês e em seguida para uma viagem de dois anos pelos principais centros artísticos da Europa. Esse conhecimento adquirido do universo artístico e cultural europeu seria levado por ele para as peças que projetaria. Cada detalhe, do estilo à cor, do padrão do metal por baixo da transparência do esmalte ao tipo de pedra utilizada, tudo podia ter algum simbolismo. Essa vivência de Fabergé, viajando pela Europa, foi fundamental para ampliar suas referências e ajudou a inspirá-lo em muitas de suas criações artísticas.

Aos 22 anos, Peter Carl Fabergé retornou a São Petersburgo, onde passou a trabalhar no museu Hermitage como restaurador de joias e objetos de ourivesaria antes de assumir a direção da Casa Fabergé, em 1870. Ele então adotou um estilo próprio, não apenas na confecção das novas criações da Casa, mas também quanto à condução dos negócios. Numa época em que as peças eram avaliadas basicamente pelo valor intrínseco do material, como os metais e as pedras preciosas, Fabergé passou a incluir o trabalho artístico como valor agregado. Cada peça Fabergé, de uma tabaqueira a um porta-retratos ou um jogo de talheres, vinha dentro de um estojo personalizado, forrado de seda e com o logotipo da empresa, tornando a própria marca um objeto de desejo.

A marca registrada da ourivesaria Fabergé era a técnica de esmalte, em que os objetos são trabalhados em metais como ouro, prata, platina ou mesmo aço formando padrões, e depois são cobertos por um esmalte translúcido que vai ao forno para vitrificar. A peça por fim é polida, revelando as cores vivas e a transparência que permite ver o trabalho do material de base e um pouco do seu brilho.

As joias e os objetos de luxo da Casa Fabergé foram se tornando cada vez mais cobiçados pela elite russa, até que, em 1882, Fabergé ganhou uma medalha de ouro na Exposição Pan-Russa. Isso conquistou a atenção do czar Alexandre III, que solicitou que algumas peças da Casa fossem acrescentadas à coleção do Hermitage como exemplos de arte contemporânea. Pouco depois, em 1885, surgiu o primeiro ovo Fabergé, encomendado pelo czar para sua esposa, a czarina Maria Feodorovna, dando início a uma tradição da família Romanov que só terminaria com a revolução.

Esse primeiro ovo Fabergé era bastante simples, reproduzindo um ovo de galinha, com o exterior esmaltado de branco, que aberto revelava uma "gema" de ouro, dentro da qual havia uma galinha, também de ouro, que guardava um pingente com um grande rubi. Mais tarde, esses presentes foram ficando cada vez maiores e mais elaborados, incluindo até trabalhos de relojoaria. No total, cinquenta ovos Fabergé foram produzidos para a família imperial russa, trinta para Maria e vinte para Alexandra. O último deles, previsto para ser entregue em 1917, foi deixado incompleto por causa da eclosão da Revolução de Fevereiro. A Revolução Russa, a guerra civil e o governo soviético acabariam por espalhar os ovos imperiais pelo mundo. Muitos podem ser vistos em museus, mas alguns se encontram em mãos de particulares.

Exibição realizada em São Petersburgo, em 1902, com peças criadas pelas oficinas Fabergé.

INÍCIO DE UM REINADO

Nicolau II coroando Alexandra em Moscou, em 1896. Livro da coroação, *autor desconhecido, 1899.*

Quando os filhos começaram a nascer, Nicolau e Alexandra experimentaram, por algum tempo, a realização na vida privada. A primeira filha, Olga, nasceu em novembro de 1895, depois de um trabalho de parto de vinte horas, em que Alexandra foi acompanhada pelo marido e pela sogra. Era um bebê gordo, com cinco quilos, cheia de cabelos claros, e os pais se desdobravam em torno dela. Alexandra, que amamentou todos os filhos, passava a maior parte do tempo com a criança, dando banho nela e tricotando um grande número de sapatinhos e casacos.

Esse estilo de vida caseiro não colaborava para que Alexandra se tornasse popular entre os aristocratas. Ela não falava um bom francês, principal língua da corte russa, o que, aliado à sua timidez, fazia com que ela raramente começasse uma conversação. A dama de companhia nomeada para ela pela czarina viúva Maria, a princesa Galitzin, era de pouca ajuda. Ela tinha mais de 60 anos, era de Moscou e não conhecia muita gente da idade da jovem czarina. Além disso, a idosa dama, especialista numa etiqueta cortesã em desuso, não achava necessário que as pessoas recebidas em audiência por Alexandra trocassem com ela mais que frases polidas.

A única mulher da família imperial da mesma idade de Alexandra era sua cunhada, a irmã de Nicolau, Xênia, casada com o grão-duque Sandro, com quem Nicky havia desabafado quando o pai morreu. A filha do casal, Irina, tinha a mesma idade de Olga, e as cunhadas criaram laços. Os outros parentes ou viviam em outras partes do império, como sua irmã Ella, ou eram de idades muito diferentes da nova czarina e tinham pouco ou nada em comum com ela. Os únicos que realmente se encantaram com Alexandra foram os mais velhos da família: o tio-avô de Nicolau, Miguel Nicolaievich, e sua cunhada Alexandra, viúva do grão-duque Constantino. Só por volta de 1900 ela começaria uma amizade com as princesas de Montenegro, Militza e Anastácia, casadas com familiares de Nicolau.

A coroação de Nicolau e Alexandra foi realizada em 26 de maio de 1896 na Catedral da Assunção, no Kremlin, em Moscou, com toda a pompa e o cerimonial de estilo, praticamente imutável há séculos.

O czar Nicolau II, recém-coroado, em procissão pelo complexo do Kremlin. Moscou, 1896.

Por tradição, a coroação realizava-se na antiga capital da Rússia e não na artificial São Petersburgo, a sede do poder criada pelo czar Pedro, o Grande, em 1703. O czar só entrava na cidade na véspera da cerimônia. A multidão assistiu à entrada de Nicolau em meio a um brilhante cortejo de soldados, aristocratas, oficiais da corte e dignitários estrangeiros. Fechavam o desfile duas magníficas carruagens douradas enfeitadas com pedras preciosas. Numa ia a imperatriz viúva, e na outra, Alexandra. No interior do ovo de Páscoa criado por Fabergé que ela ganharia de Nicolau no ano seguinte, Alexandra se surpreenderia com uma miniatura perfeita da carruagem com que tinha entrado em Moscou.

     O dia da coroação amanheceu com céu azul e sol brilhando, e Nicolau e Alexandra acordaram cedo para se preparar para a cerimônia. Depois de uma saudação de 21 tiros de canhão, uma multidão começou a se reunir em frente à Catedral da Assunção para assistir à passagem do cortejo pela Escadaria Vermelha, que levava até lá. A procissão começou com os bispos em vestimentas douradas, seguidos por Maria Feodorovna, num vestido de veludo branco e usando uma coroa de brilhantes, e pelo casal imperial. Nicolau vestia um uniforme da Guarda Preobrajensky, e Alexandra, um pesado vestido de corte de brocado branco e prata com uma faixa vermelha e um colar de pérolas. Os soberanos caminharam lentamente até um dossel de tecido dourado encimado por penas de avestruz e sob ele receberam uma bênção dos bispos, parando para rezar diante de um ícone antes de entrar na igreja.

A cerimônia durou cinco horas. Nicolau sentou-se no Trono de Diamante do czar Alexei, inteiramente cravejado de joias, enquanto Alexandra usou o Trono de Mármore, uma peça bizantina do século XV. Depois de uma longa missa, os dois foram ungidos como czar e czarina. Nicolau foi vestido com o manto púrpura e fez seu juramento como imperador e autocrata de todas as Rússias, recitando diante do altar uma afirmação da fé ortodoxa. Depois de receber o sacramento, ele coroou a si mesmo, de acordo com a tradição. A coroa, cujo formato lembra uma mitra, confeccionada por ordem de Catarina, a Grande, pesa quatro quilos e é feita de ouro, diamantes enormes e pérolas rosadas, com um imenso rubi não lapidado no centro. Ele colocou-a na cabeça, retirou-a para a pôr na de Alexandra, ajoelhada a seus pés, e depois a recolocou, enquanto a nova czarina recebia outra menor. Por fim, todos os membros da família imperial, liderados pela czarina viúva, aproximaram-se para saudar Nicolau II.

Ao fim da cerimônia, os monarcas saíram da catedral com suas coroas e mantos bordados, enquanto uma salva de tiros de canhão fazia uma cacofonia com o ribombar de todos os sinos do Kremlin. Eles pararam no alto da Escadaria Vermelha e fizeram três reverências para o povo antes de voltarem para o palácio, onde anistias e perdões de dívidas foram concedidos. Seguiram-se o banquete da coroação, para 7 mil convidados, e o baile, em que as damas da corte escandalizaram os estrangeiros com seus vestidos decotados e joias exuberantes, com

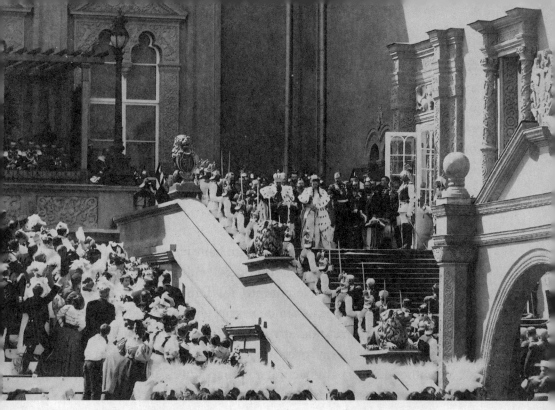

Nicolau e Alexandra, no alto da escadaria, após terem sido coroados. Moscou, 1896.

pedras preciosas grandes como ovos. A cidade, iluminada com lâmpadas elétricas por todos os lados, como se fosse uma decoração de Natal, ainda viu uma série de celebrações e festividades, incluindo um balé estrelado pela antiga amante de Nicolau, Matilda Kschessinskaya, com quem ele havia terminado o relacionamento em 1894, antes da chegada de Alix à Rússia.

Tradicionalmente, após a coroação, era realizada uma grande festa para o povo, com comida, doces e pequenos presentes comemorativos distribuídos gratuitamente. Barracas foram montadas no Campo Khodynka, fora da cidade, usado pelo Exército para manobras militares. As trincheiras e valas do local foram cobertas com tábuas, e uma multidão estimada em 500 mil pessoas reuniu-se numa área próxima, esperando pelo início da celebração, marcada para as dez horas. Mas, durante a madrugada, surgiu um rumor de que não haveria comida e lembranças para todos. Teve início um empurra-empurra, e a multidão começou a avançar. As tábuas acabaram não suportando o peso, e, no escuro, as pessoas, sem verem onde estavam pisando, caíram nas trincheiras e nas valas. Morreram 1.389 pessoas asfixiadas ou pisoteadas, e outras 1.300 ficaram feridas. Apesar dessa tragédia, os organizadores decidiram continuar as festividades. Nicolau só foi informado horas mais tarde, e ele e Alexandra decidiram visitar o local, mas quando chegaram todos os traços do incidente já tinham sido apagados.

Alix e Nicky eram esperados num baile na embaixada da França naquela noite, e o czar considerou que, devido às circunstâncias, era melhor não comparecer. No entanto, foi demovido da ideia por seus tios, encabeçados pelo grão-duque Sérgio, governador de Moscou, que argumentaram que não podiam ofender o único país aliado da Rússia. O governo francês havia investido muito na festa, enviando tesouros de Versalhes e Paris para decorar a embaixada russa, além de mais de 100 mil rosas do sul da França.

Todos no baile viram o abatimento de Nicolau e Alexandra. Mas nem a visita do casal aos feridos, o fato de o czar ter pagado do próprio bolso todos os caixões e enterros, que foram feitos de maneira individual e não coletiva, como seria usual em tal catástrofe, nem a indenização que ele deu para cada família bastaram para mostrar o quanto ele sentiu a gravidade do acidente. A opinião pública na Rússia achou insensível de sua parte não cancelar o restante da programação e apelidou-o de "Nicolau, o Sanguinário".

A entrada de Alexandra na capital do império atrás do caixão do czar Alexandre III e o desastre do Campo Khodynka não seriam os únicos acontecimentos considerados de mau agouro no início do reinado de Nicolau. Em seu primeiro discurso público, ele estava tão nervoso que acabou praticamente gritando o texto, o que assustou um velho conselheiro, que derrubou o prato de ouro com pão e sal que deveria entregar ao czar como sinal de boas-vindas. Já no caminho entre São Petersburgo e Moscou para a coroação, a comitiva imperial visitou o local mais sagrado da Rússia, o mosteiro da Trindade-São Sérgio,

Moscou com as torres do Kremlin iluminadas em comemoração à coroação de Nicolau II.

mas, devido à má organização, não havia ninguém para recebê-los. Durante a coroação, ao subir os degraus para receber os sacramentos, o colar da Ordem de Santo André que Nicolau usava arrebentou e caiu aos seus pés, e as testemunhas foram chamadas posteriormente para jurar segredo, para que o fato não fosse interpretado como má sorte. Durante os preparativos, Alexandra se machucou com um grampo de diamantes que fixava a sua coroa, e Nicolau terminou com dor de cabeça porque a pesada coroa pressionava o lugar em que ele havia sido atingido no atentado no Japão.

Poucos meses após a coroação, o casal imperial começou uma série de visitas de Estado a outros países europeus, o que se repetiria em média a cada dois ou três anos até o início da Primeira Guerra Mundial. A primeira delas foi à Áustria, onde foram recebidos pelo imperador Francisco José e sua esposa, a imperatriz Elisabete da Baviera, conhecida como Sissi. Afastada da corte desde a morte do filho Rodolfo, em 1889, Sissi foi a Viena especialmente para encontrar os czares russos. Ainda vestindo luto, a imperatriz conquistou Nicolau e Alexandra pelo charme e gentileza. Esse foi o único encontro entre as duas imperatrizes de destinos trágicos. Sissi viria a ser assassinada por um anarquista italiano em Genebra, em 1898.

Depois disso, Nicolau e Alexandra reuniram-se com a filha Olga e foram se encontrar com o kaiser Guilherme II em Breslau, num ambiente mais informal que o da corte alemã em Berlim. Visitaram a família da mãe do czar na Dinamarca e depois embarcaram no seu novo iate, *Standard*, cuja viagem inaugural os levou até a Inglaterra para visitar a rainha Vitória. A parte final da visita foi à França, onde foram recebidos pelo presidente Félix Faure.

Na Inglaterra e na França, a presença dos jovens czares foi um estrondoso sucesso de público e de mídia. Até mesmo Olga, então com dez meses de idade, tornou-se uma celebridade: foi o primeiro bebê real a ser perseguido pelos *paparazzi* aonde quer que fosse. Toda a imprensa queria fotos e histórias sobre a pequena grã-duquesa. Cada detalhe da visita imperial à França era notícia, da parada no túmulo de Napoleão até o vestido de cetim azul usado por Alexandra durante o lançamento da pedra fundamental da ponte Alexandre III, em Paris.

Na fábrica de porcelanas de Sèvres, eles foram presenteados com um busto da czarina Catarina II. Em Versalhes, Alexandra ficou hospedada nos aposentos da rainha Maria Antonieta, para horror dos supersticiosos acompanhantes, que viam nisso um mau presságio.

O sucesso da viagem à França ajudou a fortalecer os laços de amizade e aliança entre os dois países, e não sem motivo. A Rússia dependia de empréstimos financeiros franceses para avançar o processo de modernização do país, incluindo a continuação da construção da ferrovia Transiberiana, iniciada no final do governo de Alexandre III. A ferrovia transformaria a ocupação do Norte e do Nordeste do país, levando milhões de camponeses libertos da servidão na Rússia

Nicolau e Alexandra num banquete em Viena, com o imperador Francisco José e a imperatriz Elisabete (Sissi), em 1896. *Desenho de Artur Lajos Halmi reproduzido em: VERLARG, Max. Viribus unitis: Das Buch vom Kaiser. Budapeste, Viena, Leipzig: Herzig, 1898.*

ocidental e na Ucrânia a se instalar nas terras ao longo da linha. Isso também permitiu melhor circulação dos grãos que começavam a ser plantados em grande escala na Sibéria, barateando a alimentação. Além disso, aliviou o problema do desemprego nas grandes cidades, com milhares de operários enviados para trabalhar na construção.

De pé, Nicolau II e o príncipe de Gales, futuro Eduardo VII.
Sentadas, a imperatriz Alexandra, com a filha Olga no colo,
e a rainha Vitória. Castelo de Balmoral, Escócia, 1896.

TSARSKOYE SELO

Nicolau e Alexandra com as filhas Olga, no chão, Tatiana, ao lado do czar, Maria, entre o pai e a mãe, e a recém-nascida Anastácia, no colo da czarina. Peterhof, 16 de agosto de 1901.

Depois de Olga, Alix e Nicky tiveram mais três meninas: Tatiana, nascida em 1897; Maria, em 1899; e Anastácia, em 1901 – a czarina estava grávida quando a querida avó, a rainha Vitória, faleceu, e lamentou muito ser impedida pelos médicos de ir se despedir dela. Eles iam pouco a São Petersburgo, exceto quando eram obrigados por ocasião de eventos sociais, e apreciavam muito a vida em família. Além das tradicionais fotos posadas, há registros deles nos jardins de Tsarskoye Selo, as crianças brincando, revolvendo terra, a czarina entre as flores, andando sob a sombrinha.

Tsarskoye Selo, que significa "aldeia dos czares", rebatizada de Pushkin em 1937, é um vilarejo a aproximadamente 26 quilômetros de São Petersburgo que se tornou o refúgio de campo dos czares no tempo de Pedro, o Grande. A filha de Pedro, Elisabete, mandou construir em 1752 um palácio magnífico, com mais de duzentos cômodos, hoje conhecido como Palácio de Catarina. Quarenta anos mais tarde, Catarina, a Grande, acrescentou outro edifício menor a quatrocentos metros de distância, o Palácio de Alexandre, que ela mandou construir em homenagem ao seu neto, o futuro czar Alexandre I. Foi esse o palácio que Nicolau escolheu para residência de sua família. O local é cercado por um parque de 320 hectares, com um grande lago artificial, capaz de abrigar pequenos veleiros, um banho turco, obeliscos, arcos de triunfo e até um pagode chinês. Grandes moitas de lilases perfumavam toda a área na primavera.

Cercado por jardins com estátuas e pavilhões, o Palácio de Alexandre, aquecido por lareiras de porcelana, era repleto de luxo. Mármore, madeiras preciosas, seda e ouro faziam parte dos elementos da decoração; tapetes orientais abafavam os passos sob a iluminação dos lustres de cristal. Alexandra gostava de encher o palácio de flores, e, no outono, quando a geada cobria Tsarskoye Selo, ela mandava que viessem da Crimeia de trem. Tudo isso era mantido por uma multidão de funcionários e guardado por uma guarnição de 5 mil homens da infantaria, todos eles submetidos a um protocolo tão rígido que amigos não podiam sequer se olhar caso estivessem na mesma sala, na presença dos imperadores.

Nicolau e o filho Alexei numa canoa no lago do parque
do Palácio de Alexandre, em Tsarskoye Selo, *circa* 1910.
*(Romanov Collection. General Collection, Beinecke
Rare Book and Manuscript Library, Yale University.)*

    O palácio, dividido em três partes, abrigava na época, no seu corpo central, as salas de estado e representação mais formais. Numa das alas laterais, hospedavam-se os funcionários da corte em serviço, como damas de honra e ministros. Alexandra, Nicolau e a família viviam na outra ala, levando uma vida tão simples quanto possível em meio a essa pompa. Logo após o casamento, Alix mandou redecorar essa ala, retirando os móveis pesados e mandando trazer estofados, cortinas e almofadas ingleses comprados por catálogo, em que predominavam o tom de malva, sua cor preferida. Os aposentos eram guardados por quatro homens negros enormes vestidos em trajes orientais, cuja função era basicamente abrir portas e anunciar, por sua presença, a entrada dos imperadores numa sala. Embora fossem chamados de abissínios, um deles era na verdade um norte-americano: Jim Hercules, que costumava trazer doce de goiaba de presente para as crianças quando ia de férias para sua terra.

Nicolau levantava-se todos os dias entre as sete e as oito horas da manhã, orava e mergulhava num lago da propriedade. Em seguida, recebia o ajudante de campo de serviço e o primeiro marechal da corte para ser informado do cerimonial do dia, depois falava com o comandante do palácio e em seguida com os ministros, até as onze e meia. Então fazia um passeio, geralmente acompanhado pelas crianças e por seus diversos cães. Ao retornar, Nicolau fazia uma refeição com os soldados e tinha novas audiências. O almoço e o jantar eram feitos em família. Alexandra era a responsável por organizar o menu diário, sempre calculado para dez pessoas, para que o casal imperial pudesse receber convidados de última hora sem precisar avisar os cozinheiros. Depois, as crianças voltavam para as aulas, Alexandra ia dar um passeio de carruagem, e Nicolau retornava ao trabalho. Em seguida, saía para outro passeio até a hora do chá, quando ele lia jornais russos de todas as tendências e Alexandra, a imprensa inglesa, enquanto as crianças brincavam no chão e as meninas mais velhas faziam trabalhos de agulha. Novas audiências seguiam até a hora do jantar, depois do qual o czar ia supervisionar os postos de guarda e retornava às 23 horas. Antes de dormir, Nicolau costumava ler para a família, sobretudo literatura russa, que ele conhecia profundamente, e, quando as meninas eram maiores, livros em francês.

Alexandra, por sua vez, dedicava-se sobretudo ao papel de mãe e à condução da vida do palácio. Muitas vezes, assinava documentos e relatórios com uma das filhas no colo. Quando o professor de francês contratado para as meninas, Pierre Gilliard, começou a dar aulas, em 1905, surpreendeu-se de que a czarina acompanhasse as primeiras lições pessoalmente, mostrando interesse pelo aprendizado delas. Mesmo quando a tarefa foi delegada para uma governanta, ela sempre se encarregava de que ele encontrasse tudo em ordem para iniciar a aula.

Alexandra num carro com a filha Anastácia. Ao fundo, Nicolau II, Maria, Olga, Tatiana e Alexei de bicicleta no parque do Palácio de Alexandre, Tsarskoye Selo, *circa* 1910. *(Romanov Collection. General Collection, Beinecke Rare Book and Manuscript Library, Yale University.)*

Diferentemente do reinado anterior, quando a czarina Maria oferecia grandes festas todos os anos, Nicolau e Alexandra não realizavam eventos grandiosos com frequência. O mais maravilhoso desses foi um baile a fantasia realizado no Palácio de Inverno, em 13 de fevereiro de 1903, em honra dos 290 anos da subida ao poder da dinastia Romanov. Os 390 convidados compareceram em trajes da corte russa do século XVII. Para garantir que fossem historicamente corretos, os costumes foram desenhados com o auxílio de historiadores,

Nicolau e Alexandra com vestes medievais russas no baile a fantasia realizado no Palácio de Inverno, em São Petersburgo, em 1903, durante as comemorações dos 290 anos de reinado da dinastia Romanov.

Baralho feito com base nas fantasias utilizadas durante a festa a fantasia de 1903.

pelo artista Sergei Solomko. Além disso, foram utilizados muitos itens originais, emprestados pelo museu do Kremlin. Os homens vestiam camisas de brocado dourado e cafetãs enfeitados de peles, enquanto as mulheres usavam largos vestidos bordados e *kokoshniks*, a tradicional tiara russa, ambos cravejados de pedras preciosas. As numerosas joias foram pessoalmente escolhidas pelo joalheiro Carl Fabergé, incluindo a gigantesca esmeralda que Alexandra usou no peito do vestido.

Nicolau vestiu-se como Alexei Mikhailovich, o segundo czar Romanov e seu governante preferido, e Alexandra, como a esposa de Alexei, a czarina Maria Ilinichna. A irmã do czar, Xênia, foi como a esposa de um aristocrata, e seu marido, Sandro, como um falcoeiro, com águias bordadas a ouro no seu cafetã. O evento foi tão extraordinário que um álbum de fotografias mostrando os trajes dos convidados foi posto à venda, e o rendimento, destinado a uma obra de caridade. As imagens ainda serviram de base para a confecção de um baralho, que continuou sendo usado na Rússia durante a era soviética.

Nicky, Alix e as quatro filhas bonitas e saudáveis seriam a família perfeita, se não fosse o fato de serem uma família imperial. Como a Rússia seguia a Lei Sálica desde Paulo, filho de Catarina, a Grande, apenas um homem poderia suceder ao trono. Na falta de um herdeiro

Da esquerda para a direita, as grã-duquesas Olga, Tatiana, Maria e Anastácia, em 1906.

masculino, a Coroa passaria para um homem de outro ramo da família. As mulheres só poderiam herdar se não houvesse mais nenhum membro do sexo masculino na família imperial. Nos primeiros anos do reinado de Nicolau, o czarévich era o irmão mais novo de Nicky, o grão-duque Miguel. Nicolau e Alexandra precisavam resolver logo esse problema dinástico-familiar.

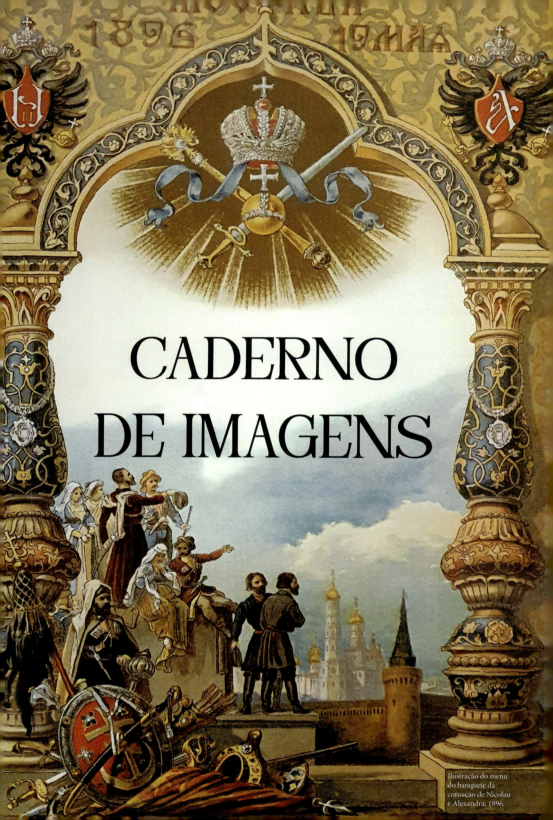

CADERNO DE IMAGENS

Ilustração do menu do banquete da coroação de Nicolau e Alexandra, 1896.

Retrato do czar Nicolau II feito por Ilya Galkin, em 1898.
MUSEU HERMITAGE, SÃO PETERSBURGO, RÚSSIA.

Retrato da czarina Alexandra Feodorovna feito por Nikolai Bodarevsky, em 1907. MUSEU HERMITAGE, SÃO PETERSBURGO, RÚSSIA.

Casamento de Nicolau e Alexandra no Palácio de Inverno, em 1894. Pintura de Laurits Regner Tuxen feita em 1895. MUSEU HERMITAGE, SÃO PETERSBURGO, RÚSSIA.

Coroação do czar Nicolau II e da czarina Alexandra no Kremlin, em 1896. A imperatriz viúva, Maria Feodorovna, aparece iluminada no canto esquerdo da tela. Pintura de Laurits Regner Tuxen feita em 1898. MUSEU HERMITAGE, SÃO PETERSBURGO, RÚSSIA.

Lenço distribuído como recordação da coroação de Nicolau e Alexandra, em 1896. MUSEU HERMITAGE, SÃO PETERSBURGO, RÚSSIA.

Copo de metal esmaltado distribuído para a população de Moscou no Campo Khodynka em comemoração à coroação dos czares, em 1896. COLEÇÃO PARTICULAR.

A coroa imperial russa foi criada em 1792 pelo joalheiro Georg Friedrich Eckart e pelo lapidador Jeremiah Posier em dois meses e meio. Ela é decorada com 4.936 diamantes, possui 75 grandes pérolas indianas e, no seu topo, há um espinélio vermelho de 398,72 quilates. Ao todo, a coroa pesa aproximadamente quatro quilos. Ela foi encomendada para a coroação de Catarina, a Grande, e foi utilizada pela última vez em 1896 na coroação do czar Nicolau II. FUNDO DOS DIAMANTES, KREMLIN, MOSCOU, RÚSSIA.

Palácio de Alexandre, em Tsarskoye Selo, residência preferida de Nicolau e Alexandra. FOTO DE ALEX FLORSTEIN FEDOROV.

Cartão-postal colorizado de época mostrando Nicolau, Alexandra e seus filhos. MUSEU HERMITAGE, SÃO PETERSBURGO, RÚSSIA.

Baile dado pela Associação da Nobreza de São Petersburgo em comemoração aos trezentos anos da dinastia Romanov, realizado na sua sede social em fevereiro de 1913. No centro, temos a filha mais velha do czar, a grã-duquesa Olga, dançando. Ao fundo, num estrado elevado, está o restante da família imperial russa. Pintura feita por Dimitri Kardovsky, em 1915. MUSEU HERMITAGE, SÃO PETERSBURGO, RÚSSIA.

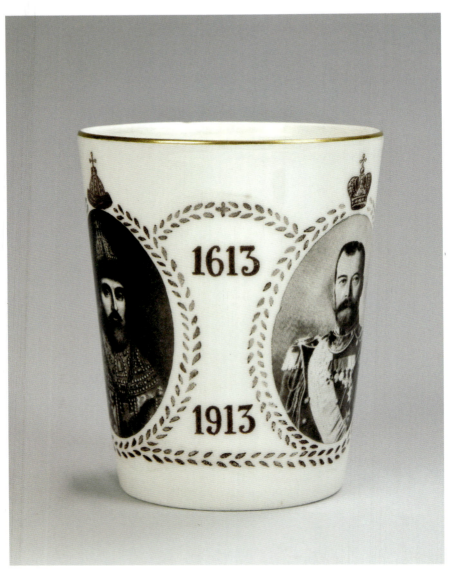

Caneca comemorativa do tricentenário da dinastia Romanov. De um lado, o czar Nicolau II; do outro, o czar Miguel Romanov, primeiro dessa dinastia no trono. MUSEU HERMITAGE, SÃO PETERSBURGO, RÚSSIA.

Miniaturas das coroas utilizadas pelo czar Nicolau II e pela czarina Alexandra Feodorovna na coroação em 1896, do cetro e do orbe imperial. Peça executada pela joalheria Fabergé. MUSEU HERMITAGE, SÃO PETERSBURGO, RÚSSIA.

Ovo da Coroação, criado por Fabergé e presenteado por Nicolau a Alexandra na Páscoa de 1897. Dentro do ovo, feito com esmalte, ouro, platina, diamantes, rubis e cristais de rocha, há a miniatura da carruagem usada por Alexandra na sua coroação, em 1896. A altura total do ovo é 12,7 centímetros. MUSEU FABERGÉ, SÃO PETERSBURGO, RÚSSIA. FOTOS DE NINARA.

Ovo Lírios do Vale, dado por Nicolau a Alexandra na Páscoa de 1898. Com 15,1 centímetros de altura e em estilo *art noveau*, o ovo é feito em ouro, esmaltes rosa e verde, diamantes, rubis, pérolas, cristais de rocha e coroa. Quando uma pérola ornada com ouro é girada na lateral do ovo, a surpresa é revelada: três miniaturas em aquarela sobre marfim, representando Nicolau e as filhas Olga e Tatiana.
MUSEU FABERGÉ, SÃO PETERSBURGO, RÚSSIA. FOTO DE NINARA.

Ovo do 15º Aniversário da Coroação, dado por Nicolau a Alexandra na Páscoa de 1911. Medindo 13,1 centímetros, o ovo é feito em ouro, diamantes, cristais de rocha e esmaltes verde e branco. As cenas pintadas em placas de marfim mostram os rostos de Nicolau, de Alexandra e dos filhos, bem como cenas da coroação, do casamento, de inaugurações e eventos emblemáticos que marcaram os quinze anos de reinado. MUSEU FABERGÉ, SÃO PETERSBURGO, RÚSSIA. FOTO DE DERREN HODSON.

O Ovo da Árvore da Baía, também conhecido como Ovo Laranjeira, tem a altura de 27,3 centímetros e foi dado por Nicolau a sua mãe, a imperatriz viúva Maria, na Páscoa de 1911. É feito de ouro, esmaltes verde e branco, nefrita, diamantes, rubis, ametistas, citrinos, pérolas e ônix branco. Quando uma alavanca escondida entre as folhas é ativada, o topo da árvore abre e um pássaro emplumado sai, bate as asas, vira a cabeça e canta. MUSEU FABERGÉ, SÃO PETERSBURGO, RÚSSIA. FOTO DE NINARA.

Ovo Estrada de Ferro Transiberiana, presente de Nicolau para Alexandra na Páscoa de 1900. Medindo 26 centímetros de altura, o ovo é feito em ouro, prata, esmaltes dourado, prata, verde, azul e laranja, ônix e forro de veludo. O ovo abre e revela como surpresa um trem em miniatura que funciona de verdade, feito de ouro, platina, diamantes lapidação rosa, rubis e cristais de rocha. MUSEU DO ARSENAL, KREMLIN, MOSCOU, RÚSSIA. FOTO DE MAXIM SINELSHCHIKOV.

Uniforme de capitão da Marinha que pertenceu ao czar Nicolau II. MUSEU HERMITAGE, SÃO PETERSBURGO, RÚSSIA.

Vestido de corte que pertenceu à imperatriz Alexandra.
MUSEU HERMITAGE, SÃO PETERSBURGO, RÚSSIA.

Igreja no Sangue em Honra de Todos os Santos que Resplandeceram na Terra Russa, em Ecaterimburgo, erguida no local da Casa Ipatiev, onde a família imperial foi assassinada em 17 de julho de 1918.

Ganina Yama, a antiga mina onde os corpos da família Romanov foram inicialmente depositados após sua morte e que nos dias de hoje se transformou em local de peregrinação. FOTO DE TANYA DEDYUKHINA.

Ícone dos Santos Mártires Imperiais, segundo a canonização feita pela Igreja Ortodoxa Russa no exterior, em 1981. ARQUIVO DO AUTOR.

O ESPERADO HERDEIRO

Alexandra e Alexei bebê, 1904.

A pressão da corte para que Alexandra tivesse um filho homem, como se isso fosse um problema feminino, fez com que ela se aproximasse cada vez mais do misticismo. O primeiro místico que ela recebeu e que teve uma breve influência sobre a corte foi Nizier Anthelme Philippe, um francês que dizia ser capaz de dar um herdeiro à imperatriz. Monsieur Philippe tinha reputação como curandeiro na sua França natal e chegou a publicar artigos médicos numa revista científica norte-americana antes de ser acusado de praticar medicina ilegalmente e fugir para a Rússia. Lá, ele foi apresentado a Alexandra em 1901 pela grã-duquesa Militza, uma das princesas montenegrinas.

No ano seguinte, monsieur Philippe convenceu os imperadores de que a melhor forma de eles realizarem o sonho de ter um herdeiro seria santificar alguém que tivesse se destacado em vida, dentro da fé ortodoxa, para que esse indivíduo fizesse a intercessão pelo casal junto aos céus. O czar, então, interveio diretamente na canonização de Serafim de Sarov. Apesar de o monge não atender às regras da Igreja Ortodoxa Russa, como estar com o corpo intacto, entre outras questões, a pressão imperial fez a Igreja ignorar as próprias regras e ir adiante com a cerimônia. Isso levou a um conflito entre a Coroa e o clero, chegando a haver protestos populares.

Alexandra chegou a se banhar no lago que Serafim frequentava quando vivo e, em 1903, começou a ter sintomas da gravidez. Monsieur Philippe deveria, segundo ele, ser o único a cuidar do bem-estar da czarina; no entanto, mesmo seguindo as recomendações do místico, a gravidez não foi adiante, e ele alegou que ela havia sofrido um aborto espontâneo. Mas a realidade era outra: devido a toda a pressão dos Romanovs e da sociedade, Alexandra acabou tendo uma gravidez psicológica, e Philippe foi forçado a deixar a corte.

Algum tempo depois, Alix ficou grávida novamente, e, em 12 de agosto de 1904, nasceu o esperado herdeiro do trono, Alexei, um menino robusto. Porém a felicidade da família durou pouco. Dias depois, ao cair o cordão umbilical da criança, um sangramento no umbigo revelou o que todos temiam: o menino nascera com hemofilia. A condição, que é de origem genética e herdada da mãe, era comum a

Alexei a bordo do iate *Standard*, *circa* 1908. *(Romanov Collection. General Collection, Beinecke Rare Book and Manuscript Library, Yale University.)*

muitos descendentes da rainha Vitória. A morte do irmão de Alexandra, Frederik, deixara-a bem consciente sobre os horrores da doença que agora atingia seu herdeiro, pela qual ela se culparia até o fim da vida.

Alexei era um garoto travesso e de gênio forte, que entendeu desde muito cedo que sua condição de herdeiro do trono o colocava socialmente acima dos outros. Aos três anos, divertia-se saindo à porta do palácio, indo e voltando várias vezes, só para ver os soldados de guarda baterem continência para ele, até que Nicolau proibiu que eles fizessem isso se Alexei não tivesse companhia.

O professor de francês, Pierre Gilliard, descreveu Alexei aos 18 meses, na primeira vez que o viu, como "um dos mais belos bebês que se pode imaginar, com seus belos cachos loiros e seus grandes olhos cinza-azulados sombreados por longos cílios curvos. Ele tinha a cor fresca e rosada de uma criança saudável e podíamos ver, quando sorria, se desenharem duas covinhas em suas bochechas gorduchas".[7]

A czarina pareceu-lhe particularmente apreensiva com o bem-estar da criança, mas à época nem Gilliard nem ninguém da corte sabia da doença do menino.

---

[7] GILLIARD, 1928, p. 18.

VIDA EM FAMÍLIA

Família imperial a bordo do iate *Standard, circa* 1906.

O suíço Gilliard chegou à Rússia em 1904, aos 25 anos, para dar aulas de francês a Sérgio, filho do duque Jorge de Leuchtenberg e da princesa Anastácia de Montenegro. Jorge era sobrinho de d. Amélia, segunda esposa do imperador brasileiro d. Pedro I, e primo do czar Alexandre III por meio de sua mãe, a grã-duquesa Maria Nicolaievna. No ano seguinte, o duque indicou-o para a família imperial, e Gilliard começou também a ensinar Olga e Tatiana, as filhas mais velhas de Nicolau. A partir de 1909, foi dispensado pelo duque e passou a se dedicar só às quatro meninas, às quais se juntou Alexei em 1912. No ano seguinte, o suíço tornou-se tutor do herdeiro, responsável por toda a sua educação.

Essa convivência quase diária levou o professor a ter uma impressão de cada um dos pupilos na intimidade. Para ele, Olga tinha uma mente afiada e era espirituosa e independente. Tatiana, alta e esguia, mais reservada e menos espontânea que a irmã, era a mais equilibrada e tinha vontade forte – de fato, suas irmãs chamavam-na de "A Governanta", por seu hábito de lhes dar ordens. A bela Maria, de grandes olhos claros, apelidados de "os pires da Maria" por seus primos, era tão gentil que suas irmãs frequentemente se aproveitavam de sua bondade. Já Anastácia era terrível. Alegre, vivaz, com um senso de humor próprio, chegava a ser teimosa e tinha talento para a atuação.

Alexei, por sua vez, era uma criança afetuosa, inteligente e sensível, embora caprichosa, de gostos simples e que em particular não se gabava de ser o herdeiro, embora fosse consciente dessa condição. Era normalmente alegre e muito ativo, o que não raro causava problemas, devido à sua condição de saúde. Por causa da falta de coagulação do sangue, causada pela hemofilia, o menor machucado poderia provocar nele crises que iam desde dores insuportáveis causadas por edemas a risco de vida. Por causa disso, ele estava sempre acompanhado por dois marinheiros, Nagorny e Derevenko, que supervisionavam todos os seus movimentos. Era difícil encontrar crianças de sua idade com quem pudesse brincar sem que o segredo de sua condição se tornasse público.

Essa carência era suprida pelas irmãs, que adoravam o pequeno Alexei e estavam usualmente prontas para brincar com ele. A vida em

O preceptor suíço Pierre Gilliard com uma das grã-duquesas.
(Romanov Collection. General Collection, Beinecke
Rare Book and Manuscript Library, Yale University.)

família girava em torno do menino, e depois de seu nascimento eles pouco participavam da vida social da corte fora do próprio núcleo familiar. Mesmo Nicolau, embora seus deveres de Estado o mantivessem ocupado a maior parte do tempo, sempre procurava dar atenção aos filhos, juntando-se a Alexei quando ele saía para caminhar com Gilliard e participando dos divertimentos das meninas.

As filhas tinham adoração pela mãe, a quem faziam companhia por todo o dia e que cobriam de atenção quando estava doente, o que ocorria com frequência, especialmente após o nascimento de Alexei. Alexandra tinha problemas crônicos de ciática desde a juventude, e o desgaste causado pelas crises de hemofilia de Alexei afetou ainda mais sua saúde. A cada vez que o menino adoecia, a czarina dedicava-se incansavelmente, permanecendo dia e noite à beira de sua cama. Mas, assim que ele melhorava, ela caía numa exaustão física e emocional que a deixava prostrada na cama por semanas, obrigando-a até mesmo a se locomover em cadeira de rodas. Quando ela estava numa dessas crises, Tatiana era seu maior apoio, tomando para si o cuidado dos irmãos e da casa. Tratava-se provavelmente de uma doença psicossomática, gerada talvez por ansiedade crônica, que também lhe causava taquicardia e fôlego curto. Alexandra acabou ficando viciada numa droga chamada Veronal, um dos primeiros sedativos barbitúricos disponíveis comercialmente.

Apesar da fortuna da família, as quatro meninas tinham uma vida espartana, dormindo em camas duras, ajudando as criadas a arrumar seus quartos e dispondo de apenas uma pequena mesada para comprar algo que quisessem. Em função da idade, elas foram divididas em dois grupos, cada um com o seu quarto: o "Grande Par" era formado por Olga e Tatiana, e o "Pequeno Par", por Maria e Anastácia. Quando elas eram crianças, Alexandra costumava vestir cada par com roupas parecidas. Elas eram tão unidas que, na adolescência, trocavam joias e vestidos entre si e assinavam cartas juntas com suas iniciais combinadas: OTMA. Todas usavam perfumes Coty, embora cada uma preferisse uma fragrância. Raramente saíam do Palácio de Alexandre, a não ser para compromissos oficiais ou aos sábados, quando sua tia, a grã-duquesa Olga, as levava para São Petersburgo para almoçar com a czarina viúva Maria e depois para uma tarde relaxada em seu próprio palácio. A grã-duquesa Olga era casada com o duque Pedro de Oldemburgo, que era homossexual e nunca consumou o casamento. Assim, ela não tinha filhos e costumava organizar chás e partidas de tênis com jovens aristocratas e oficiais para as sobrinhas.

As línguas usadas na família eram o inglês e o russo. Enquanto Alexandra e Nicolau quase sempre conversavam em inglês, os filhos costumavam se comunicar entre si em russo. A própria Alexandra ensinou as garotas a bordar e costurar, mas quem se destacava nessas

Alexei no golfo da Finlândia com o marinheiro Klementy Nagorny. *(Romanov Collection. General Collection, Beinecke Rare Book and Manuscript Library, Yale University.)*

tarefas era Tatiana, que também era capaz de arrumar o cabelo e a toalete da mãe como uma profissional. Todas as crianças sabiam algum instrumento, e Olga era particularmente talentosa. Enquanto as meninas tocavam piano, Alexei preferia a balalaica, um instrumento de cordas típico russo, com caixa de ressonância triangular. Maria, por sua vez, gostava de pintar, mas não era muito aplicada.

A ausência de amigos da mesma idade e classe social era uma preocupação para o tutor Gilliard. Além das irmãs, Alexei costumava brincar apenas com os filhos de seu médico, Vladimir Derevenko, especialmente Kolya, dois anos mais novo que ele. Os dois estavam

Os filhos de Nicolau e Alexandra em 1910. Da esquerda para a direita: Tatiana, Anastácia, Maria, Olga e Alexei no centro.

frequentemente juntos, caminhando no parque ou indo à casa um do outro, e Alexei cita o amigo frequentemente em seu diário. Também costumavam trocar cartas em que se tratavam por seus nomes invertidos, Ieskela e Aylok.

Eles tinham vários animais, principalmente cachorros. Alexei também possuía um gato cinzento cujas unhas haviam sido removidas para não correr o risco de machucá-lo, e um burro de estimação, chamado Vanka, que puxava a carroça para o menino e sabia vários truques, como encontrar torrões de açúcar nos bolsos dele. Mas o seu companheiro constante era um cão cocker spaniel branco e castanho chamado Joy.

Nicolau e Alexandra tinham seus próprios apartamentos vizinhos no Palácio de Alexandre, mas dormiam juntos, uma raridade entre casais reais na época. Enquanto ela era desorganizada e às vezes deixava passar semanas antes de responder sua correspondência, ele mantinha tudo em rigorosa ordem. Mesmo assim, Nicolau costumava passar a maior parte de seu tempo livre nos aposentos bagunçados da esposa e raramente usava suas próprias salas para lazer. De acordo

Alexei, em 1916, com o seu gato
Kotka e o seu cocker spaniel Joy.

Nicolau e Alexandra na Criméia, circa 1912. (Romanov Collection. General Collection, Beinecke Rare Book and Manuscript Library, Yale University.)

com Anna Vyrubova, dama de companhia de Alexandra, Nicolau usava um assobio especial, como um canto de pássaro, para chamar a esposa. Mesmo depois de muitos anos de casados, ao escutar isso, por mais ocupada que estivesse, ela corava como uma adolescente e levantava-se correndo para ir ao encontro dele. Da mesma maneira, até o fim da vida as cartas dela para ele começavam com expressões como "meu amado" e muitas vezes traziam flores prensadas.

CAMINHANDO PARA A PRIMEIRA REVOLUÇÃO

"O movimento russo", charge britânica a respeito da Guerra Russo-Japonesa. *Desenho de W. A. Rogers publicado na Harper's Weekly em abril de 1904.*

O ano de 1904 não marcou a família Romanov apenas pelo nascimento do herdeiro da dinastia. A hemofilia do bebê se juntaria a uma vasta gama de preocupações do seu pai. A política externa e a situação interna da Rússia sofreram turbulências graves a partir daquele ano.

A ocupação russa da Manchúria, no nordeste da China, em 1900, e depois da península da Coreia, levou a um conflito diplomático com o Japão que terminou em guerra em fevereiro de 1904. Seis meses antes da chegada de Alexei, os japoneses atacaram o Exército russo em Port Arthur, na Manchúria. Para os militares xenófobos, essa seria uma guerra fácil: dizia-se entre os oficiais que o país nem precisaria gastar munição, pois bastaria atirar os capacetes e os "macacos", como eles se referiam aos japoneses, sairiam correndo. Porém, dados o tamanho e a capacidade bélica da Rússia em relação ao Japão, o improvável aconteceu: a Guerra Russo-Japonesa fez os "macacos" colocarem o gigante russo de joelhos.

Embora o Exército japonês tivesse apenas 600 mil homens, contra os 3 milhões do russo, o Japão tinha mais facilidade de repor as baixas por não ter que atravessar um continente inteiro. Além disso, os japoneses eram mais bem treinados e dispunham de armas mais modernas, adquiridas dos ingleses. O fato de terem tomado a iniciativa deu-lhes uma vantagem tática que permitiu derrotarem rapidamente a frota oriental da Marinha russa em Port Arthur. Entre os navios que acabaram nas mãos dos japoneses estava o *Kazan*, que foi recuperado e incorporado à frota de navios de passageiros. Rebatizado de *Kasato Maru*, ele traria em 1908 os primeiros imigrantes japoneses ao Brasil.

O comandante da frota russa então ordenou que os navios estacionados no mar Báltico fossem para o centro de operações militares na Ásia. Desde o início, a aventura russa na Ásia não foi vista com bons olhos por outros países, entre eles a Inglaterra, que impediu que a frota da Rússia passasse pelo mar do Norte, obrigando-os a contornar ao largo da ilha da Irlanda. Os ingleses também impediram a frota do Báltico de cortar caminho pelo Canal de Suez, de modo que tiveram de contornar toda a África para chegar ao Índico.

Após todos esses contratempos, que obrigaram a frota russa a atravessar boa parte do globo para chegar à Ásia, o resultado foi a maior batalha naval desde Trafalgar. O almirante japonês Togo, adotando uma posição estratégica em Tsushima, barrou o avanço e atacou um por um os navios russos. A derrota catastrófica da Rússia deu-se em apenas 45 minutos e praticamente selou o fim da guerra.

Com sua frota naval dizimada, a economia severamente abalada e o prestígio internacional perdido, Nicolau começava a pagar o preço por ser um czar indeciso que depositara confiança demais na arrogância e prepotência dos seus comandantes militares.

O desastre da Guerra Russo-Japonesa e a consequente piora na situação econômica aumentaram a insatisfação da população com o Estado czarista. Nessa época, havia cerca de quinhentas greves por ano em Moscou e São Petersburgo, pedindo melhores condições de trabalho e denunciando as injustiças sociais. Para piorar, a necessidade de utilizar a então incompleta ferrovia Transiberiana para transportar tropas ao oriente interrompeu o fluxo de grãos para o oeste, causando escassez de alimentos. Os protestos foram ficando mais frequentes, apesar de, desde 1901, a polícia secreta russa dominar parte do movimento operário por meio de agentes infiltrados. Esses agentes buscavam conter as agitações trabalhistas ao criar novos sindicatos controlados por eles. Assim, tentavam esvaziar os movimentos revolucionários que tinham essas organizações como base.

Foi um desses agentes da polícia, o padre Gapon, quem teve a ideia de liderar uma manifestação pacífica, em 22 de janeiro de 1905, visando entregar uma petição ao czar chamando a atenção para as dificuldades que a população vivia. Partindo de seis pontos da cidade, milhares de pessoas, entre grevistas, desempregados, mulheres e até crianças, marcharam em direção ao Palácio de Inverno carregando fotos do czar e ícones religiosos, mas Nicolau não estava lá. Avisado pela polícia de que poderia haver violência, voltara a Tsarskoye Selo com a família.

Quando a aglomeração chegou próximo ao palácio, os soldados reunidos em torno tentaram dispersá-la com tiros de advertência, mas não foram bem-sucedidos. Assim, com ordens de não recuar, abriram fogo diretamente contra a multidão. Gapon, baleado logo no início, conseguiu fugir, mas muitos outros não tiveram a mesma sorte. Estima-se que tenha havido cerca de mil mortos, atingidos pelos tiros ou pisoteados pela multidão que tentava escapar das balas. Relatos contemporâneos dizem que até a neve ficou vermelha. O episódio ficou conhecido como Domingo Sangrento e foi o estopim para a primeira revolução russa.

Xilogravura de artista desconhecido mostrando o momento da chegada da multidão liderada pelo padre Gapon ao Arco do Triunfo de Narva, em São Petersburgo, quando os soldados abriram fogo contra a multidão.

MAIS LEVANTES, MENOS ESPONTÂNEOS E MAIS ORGANIZADOS

A Revolução Russa de 1905 toma conta das ruas de São Petersburgo.

Nos meses seguintes, multiplicaram-se as greves e os protestos, não só em São Petersburgo, mas em várias regiões, até na Polônia. Em 17 de fevereiro, em Moscou, um revolucionário atirou uma bomba contra a carruagem do grão-duque Sérgio, matando-o instantaneamente quase na porta do palácio, de onde sua esposa, Ella, a irmã de Alexandra, correu para se lançar sobre os restos irreconhecíveis do marido. Perseguições violentas contra os judeus, causando mortes e a destruições de vilas inteiras, os chamados *Pogroms*, instigados ou tolerados pelas autoridades, seguiram em represália. Vítimas de constante violência institucional e com seus direitos negados pelo governo, os judeus haviam sido atirados em massa na direção do movimento revolucionário. Esse antissemitismo institucional era tão generalizado que levou à elaboração do documento forjado conhecido como *Os Protocolos dos Sábios de Sião*. O documento, que chegou a ser apresentado a Nicolau II como verdadeiro, trata sobre uma suposta conspiração judaica para conquistar o mundo.

No verão de 1905, camponeses em vários locais revoltaram-se, ocupando terras e queimando plantações. Em junho, um motim iniciado no encouraçado *Potemkin* devido à má qualidade da comida alastrou-se por outros navios da frota russa no mar Negro. Oficiais foram mortos e jogados no mar. Os marinheiros causaram terror em várias cidades até que conseguiram chegar à Romênia, onde pediram asilo. As revoltas militares apressaram a decisão de encerrar a Guerra Russo-Japonesa. Um tratado foi negociado nos Estados Unidos pelo diplomata Sergei Witte, que já atuara como ministro das Finanças no governo de Alexandre III e no início do de Nicolau. O sucesso em conseguir os melhores termos possíveis rendeu ao diplomata o título de conde.

Em São Petersburgo, até o teatro Mariinski entrou em greve. Em 1º de maio, mais de 200 mil pessoas marcharam nas comemorações do Dia do Trabalho. Universidades foram fechadas, e os estudantes uniram-se aos operários nos movimentos. Uma greve dos gráficos, seguida de outra de ferroviários, em outubro, desencadeou uma greve geral, o que levou à organização de comitês de greve. O de São Petersburgo,

Nicolau discursa junto ao trono no Salão de São Jorge, no Palácio de Inverno, em São Petersburgo, em maio de 1906, durante a abertura da Duma.

constituído em 13 de outubro, adotou quatro dias depois o nome de Soviete de Representantes dos Trabalhadores. O termo "soviete" significa "conselho" e já havia sido usado no início do ano por um organismo similar, de vida curta. Entre seus líderes estava um jovem socialista chamado Lev Bronstein, conhecido como Leon Trotsky.

    A função do soviete era coordenar as ações dos trabalhadores e o fornecimento de suprimentos aos grevistas. Sua influência sobre a cidade na época chegou a ser maior que a do governo imperial. Um segundo soviete foi criado em Moscou, mas o movimento foi duramente reprimido e encerrou-se quando seus líderes foram presos, em dezembro.

    Pressionado, Nicolau ensaiou estabelecer um governo militar, liderado por seu primo, o grão-duque Nicolau Nicolaievich, conhecido como Nicolacha, considerado o comandante mais respeitado do Exército. Mas, sem encontrar apoio nem mesmo entre os familiares, o czar foi obrigado a recorrer ao conde Witte, um dos políticos mais hábeis da época. Este o aconselhou a promulgar uma Constituição e conceder liberdades civis, abandonando o absolutismo.

Em 30 de outubro, Witte editou o Manifesto de Outubro, no qual o czar garantia direitos civis, concordava em convocar um parlamento, a Duma, eleito pelo voto popular, e determinava que as leis deveriam ser aprovadas por ela. Nos meses seguintes, Witte, recebendo plenos poderes, conseguiu sufocar os movimentos rebeldes.

A cena capturada na foto mais significativa da abertura da primeira Duma, no Palácio de Inverno, no entanto, já prenunciava o que estava por vir: diante de Nicolau, do alto de seu trono, estão, de um lado, nobres; do outro, representantes do povo; no meio, um vazio estéril. Quando chegou o tempo de colocar em prática a promessa, tanto Nicolau quanto Witte estavam menos interessados na passagem para o constitucionalismo, e a nova Lei Fundamental estabelecia em seu artigo 1º dizia que o poder do czar era "supremo e autocrático", embora não ilimitado. Nesse absolutismo parcial, os ministérios dividiam responsabilidade com o czar, não com o Parlamento; o Conselho de Estado continuava sendo nomeado por Nicolau II, que mantinha também em suas mãos determinadas áreas, como a política exterior. A Duma ficava responsável por 40% do orçamento, mas o czar detinha o poder de veto e de dissolver a assembleia. A relação de Nicolau com a Duma foi conflituosa desde a primeira eleição, e as reformas foram limitadas e lentas.

RASPUTIN

Rasputin, em 1916.

Enquanto isso, Alexei crescia um menino travesso e cheio de energia, apesar de sua condição de saúde. Ele tinha consciência do risco que sua hemofilia representava, mas isso não o impedia de se frustrar por não poder fazer coisas que outros meninos de sua idade faziam, como andar de bicicleta. Aos 4 anos, Alexei adorava ficar debaixo das mesas durante os banquetes e uma vez enfiou morangos dentro dos sapatos de uma dama que se descalçara para aliviar os pés. Também se deleitava em levar seu gato até a mesa, apresentando-o justamente às pessoas que tinham medo do animal. Charmoso, amoroso e cheio de personalidade, conquistava todos a seu redor. Os oficiais costumavam deixar alguns botões das suas fardas desabotoados só para que Alexei, ao entrar onde eles estavam, pudesse abotoá-los e arrumar-lhes os uniformes, iniciando depois guerras de bolinhas de pão à mesa.

Embora tivesse modos simples e, assim como as irmãs, não fizesse caso de sua posição, Alexei entendeu desde cedo que era mais importante que os outros. Sabia que era ele, e não elas, quem ficava ao lado do pai durante as cerimônias oficiais, e que eram para ele os gritos de saudação e os presentes dos súditos. Uma vez, estava brincando com as irmãs quando foi avisado de que um grupo de oficiais havia vindo visitá-lo. Imediatamente as dispensou, dizendo que tinha negócios a tratar.

Por outro lado, sua doença trouxe a ele uma empatia pela dor dos outros que não encontrava paralelo dentro da família. Ele preocupava-se com as doenças e os problemas até do mais humilde serviçal e tomava precauções para que seus pedidos pessoais não fossem vistos como ordens. É fácil imaginar como essa criança imperiosa, autoconfiante, mas sensível, tão diferente de seu pai em personalidade, poderia um dia se tornar um dos grandes czares da Rússia. Mas a hemofilia fazia com que essa possibilidade estivesse sempre sob risco. O próprio Alexei sabia disso, e certa vez, numa crise grave, chegou a pedir à mãe que, depois de sua morte, erguesse um monumento para ele no bosque.

Nicolau e Alexandra, cada vez mais voltados à religião em busca da salvação do filho, construíram durante seu governo mais igrejas do

Alexei e Anastácia no Palácio de Livádia,
na Crimeia, *circa* 1910.

que haviam sido feitas durante todo o século anterior. A doença de Alexei fez com que, em 1907, eles deixassem entrar no seio da família imperial um novo místico, dessa vez vindo da Sibéria: Grigori Rasputin. Novamente, foram a grã-duquesa Militza e sua irmã Anastácia que apresentaram o homem a Alexandra, quando ele afirmou que poderia ajudar Alexei.

    Nascido Grigori Yefimovich Novik, em Pokrovskoie, na Sibéria, em 1869, numa família de camponeses, Rasputin não teve educação formal e aprendeu a ler já adulto, mas desde criança tinha uma capacidade de intuição que levava os vizinhos a acreditarem que ele tinha um dom sobrenatural. Era um jovem rebelde e dado a pequenos delitos, e sua fama de sedutor teria lhe valido o apelido de Rasputin, que derivava de uma palavra para dissoluto, mas não há comprovação de que isso seja correto. Uma outra possibilidade para o apelido seria a palavra *rasputi*, que indica uma bifurcação de caminhos e era usada para indicar os moradores de Pokrovskoie na época.

Sua vida simples mudou radicalmente em 1897, quando, aos 28 anos, Rasputin decidiu sair numa peregrinação religiosa de quase setecentos quilômetros até o mosteiro de São Nicolau de Verkhoturye, nos Urais. São Nicolau foi o bispo de Mira que deu origem ao nosso Papai Noel. Embora tenha achado a vida monástica opressiva, a visita transformou Rasputin completamente devido ao contato com Makary, um *starets* que vivia nas proximidades.

Um *starets*, na tradição russa, é um homem que foi tocado pelo Espírito Santo e é capaz de dar orientação espiritual, curar e até profetizar. Normalmente, isso é conseguido por uma vida de oração e renúncia aos bens materiais e aos prazeres mundanos. O contato direto com o divino faria com que essas pessoas deixassem as regras sociais de lado, por isso eram muitas vezes chamados de *iurodivi*, os "loucos sagrados", vistos como parte da manifestação do Espírito Santo.

A visita pareceu dar a Rasputin esse toque de loucura. Desgrenhado e com o comportamento mudado, ele se tornou vegetariano e parou de beber álcool. Além disso, suas orações tornaram-se mais fervorosas, e logo ele começou a levar uma vida como *strannik*, um andarilho que peregrina aos lugares religiosos pregando sua fé pelo caminho. Uma dessas peregrinações levou-o até o monte Atos, na Grécia, o mais importante monastério ortodoxo.

Pelo início dos anos 1900, Rasputin tinha reunido um pequeno séquito de seguidores em Pokrovskoie. Sua fama começava a crescer: diziam que podia exorcizar demônios, fazer curas e consolar os infelizes. Sua reputação como *starets* em 1903 era tal que lhe valeu uma carta de recomendação para o bispo Sergei, reitor do monastério Alexandre Nevsky, em São Petersburgo. Ele permaneceu alguns meses na capital do império, hospedado na casa do arquimandrita Theophan, o superior

Rasputin junto com o bispo Hermógenes e o monge Iliodor em Tsaritsyn, em 1906.

do monastério, e foi nessa época que conheceu as princesas montenegrinas. Em 1905, estava de volta à capital, onde, apesar de seus modos de camponês, tornou-se um sucesso na aristocracia.

Ele foi apresentado ao czar Nicolau II na casa da grã-duquesa Militza. O imperador registrou no seu diário no dia 1º de novembro de 1905: "Fui apresentado a um homem de Deus – Grigori, da província de Tobolsk".[8] No ano seguinte, Rasputin telegrafou ao czar pedindo para mandar a ele um ícone de São Simeão de Verkhoturye

---

8 SMITH, 2016, p. 65.

e foi recebido por Nicolau no Palácio de Peterhof em 12 de outubro. Lá, ele tomou chá e foi apresentado às crianças, a quem deu versões menores do ícone.

No dia da visita, Alexei, então com 2 anos, estava de repouso por causa de uma de suas crises de hemofilia. Rasputin ajoelhou-se e rezou por ele ao pé da cama. A presença e as preces do *starets* parecem ter conseguido, de alguma maneira, parar o sangramento e melhorar a condição do menino. Numa segunda ocasião, em 1907, ele foi convocado pela czarina Alexandra, estancando outra hemorragia interna em Alexei. O "milagre" fez a família começar a venerar São Simeão, mandando erguer um pavilhão sobre seu sepulcro, nos Urais.

Com o apoio de Anna Vyrubova, que se tornara uma seguidora fervorosa depois que Rasputin previra o fracasso de seu casamento, e de Theophan, que era na época confessor do czar e da czarina, o *starets* logo passou a ser uma peça fundamental no grupo de cortesãos em torno de Nicolau e Alexandra. A czarina acreditava que Rasputin tinha o dom de salvar a vida de seu filho. Procurando sempre manter o siberiano por perto, acabou criando uma verdadeira dependência dele.

A mais espetacular das curas aconteceu em 1912, quando a família imperial estava em seu pavilhão de caça em Spala, na Polônia, e Alexei machucou a virilha. Isso provocou um hematoma incontrolável e o levou à beira da morte. Se a hemofilia era o segredo mais bem guardado da família, o grave estado de saúde do herdeiro do trono não podia ser mantido em sigilo. A corte emitiu diversos boletins médicos para a imprensa, informando que Alexei estava gravemente enfermo, sem revelar a causa. As igrejas na Rússia ficaram lotada de fiéis e religiosos rezando dia e noite pela saúde do czarévitche. O ministro da corte imperial chegou a preparar um comunicado anunciando a morte do herdeiro, e já estava tudo certo para um decreto ser publicado oficializando, novamente, o irmão de Nicolau II, o grão-duque Miguel, como herdeiro do trono.

Rasputin estava na Sibéria, e Alexandra telegrafou a ele pedindo que rezasse pelo czarévitche. O *starets* respondeu rapidamente com outro telegrama, que informava: "Deus tem visto suas lágrimas e ouvido

Rasputin com a imperatriz, as crianças e uma babá, em 1908.

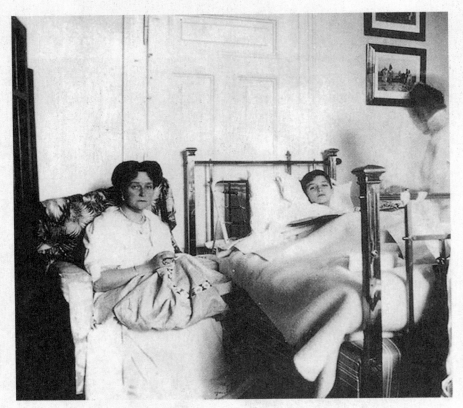

Alexandra com o czaréviche Alexei, em Spala, na Polônia, após o acidente dele em 1912. *(Romanov Collection. General Collection, Beinecke Rare Book and Manuscript Library, Yale University.)*

suas preces. Não se aflija. O Pequeno não morrerá. Não permita que os médicos o incomodem muito".[9] Alexandra seguiu o conselho, e em menos de 48 horas o sangramento parou e Alexei começou a se recuperar.

Embora a czarina acreditasse num milagre, a hipótese científica é que o telegrama do místico foi capaz de reduzir a ansiedade dela e, assim, acalmar o nível de estresse do garoto, permitindo que seu corpo reagisse. Além disso, o conselho de manter os médicos à distância evitou que Alexei fosse muito manipulado e ajudou que ele descansasse o suficiente para que o próprio corpo começasse a se curar.

---

9 MASSIE, 2014, p. 98.

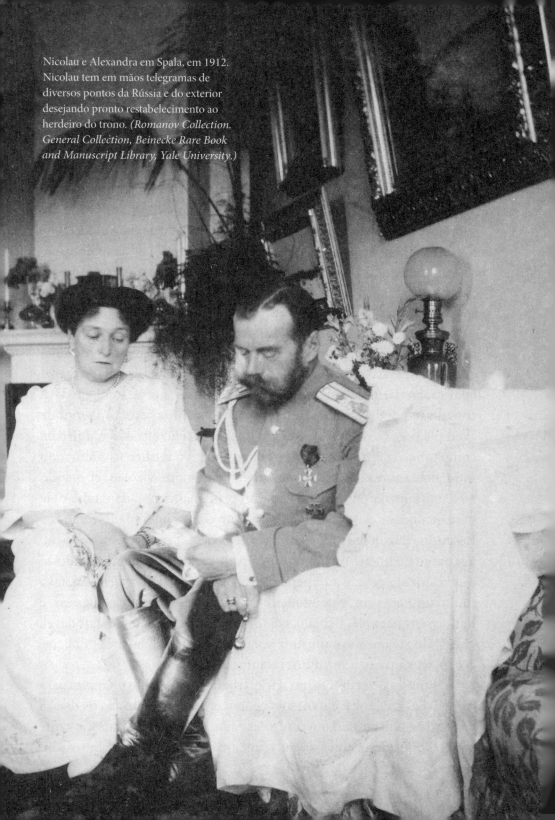

Nicolau e Alexandra em Spala, em 1912. Nicolau tem em mãos telegramas de diversos pontos da Rússia e do exterior desejando pronto restabelecimento ao herdeiro do trono. *(Romanov Collection. General Collection, Beinecke Rare Book and Manuscript Library, Yale University.)*

Diversos relatos apontam para o fato de, em outras ocasiões em que estava presente, Rasputin ter usado hipnose para acalmar tanto a imperatriz quanto o menino, o que pode ter auxiliado na melhora da sua condição.

A própria Vyrubova teria se recuperado de um grave acidente de trem, em 1915, depois das preces de Rasputin. Embora tenha sobrevivido ao desastre ferroviário, a dama da czarina entrou em coma. Sua condição era tão ruim que os médicos não acreditavam que ela sobreviveria. Rasputin veio a seu quarto, segurou sua mão e, focando sua atenção, disse: "Anushka, Anushka, levante-se!". Subitamente, ela acordou e, apesar de várias fraturas, tentou erguer o corpo. Depois ele profetizou que, embora ela fosse sobreviver, ficaria aleijada para sempre, o que se provou verdade.

De início, a permanência de Rasputin junto à família imperial foi benéfica. Quando ele ia visitar as crianças, brincava com elas, deixava que andassem nas suas costas pela sala, contava contos de fadas russos e falava sobre Deus de uma maneira inteiramente natural. Também dava conselhos morais, especialmente às mais velhas, que deveriam servir de exemplo para os menores. Alexandra também encontrava conforto na companhia de Rasputin. Porém, com o tempo, o místico foi ganhando influência sobre a czarina e, por meio dela, sobre Nicolau, chegando a se imiscuir na política. Alexandra, principalmente, dependia dele para qualquer decisão. Aliado a isso, com o crescimento de seu poder, Rasputin relaxou seu modo de vida e deixou-se corromper. Passou a beber muito e adotou luxos, como andar com camisas de seda, gabando-se publicamente de que a imperatriz as havia bordado para ele. Gastava muito dinheiro em restaurantes e com ciganos para que cantassem e dançassem para ele. Bêbado, ele tornava-se facilmente desagradável, chegando até mesmo a mostrar seu órgão sexual em lugares públicos, como ocorreu certa vez num restaurante.

Em São Petersburgo, no seu apartamento pequeno e simples para os padrões da época, ele recebia centenas de pessoas todos os dias, a ponto de a polícia ajudar a controlar a fila. Esse público ia desde gente simples que queria uma oração a funcionários públicos que buscavam

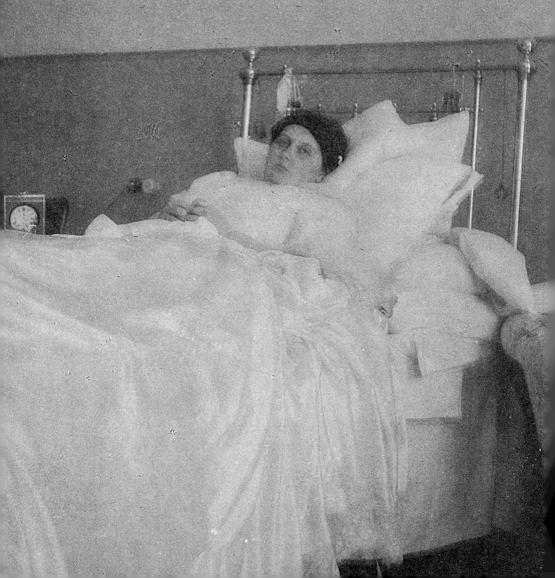

Anna Vyrubova, em 1915, após o grave acidente de trem que sofreu. *(Romanov Collection. General Collection, Beinecke Rare Book and Manuscript Library, Yale University.)*

uma promoção, passando por políticos e banqueiros interessados em obter vantagens e realizar negociatas com o governo. Rasputin escrevia bilhetes com sua letra insegura e despachava-os para algum funcionário que pudesse atendê-los. O dinheiro que eles deixavam o monge atirava numa gaveta, e quando uma pessoa sem recursos aparecia à porta ele frequentemente pegava um maço de notas e dava a ela. Os escândalos sexuais envolvendo o *starets* alimentaram os mexericos da época. Não era só com ciganas e prostitutas que ele se envolvia; damas casadas da alta sociedade de São Petersburgo também eram vistas com ele.

A crescente influência de Rasputin sobre a corte começou a atrair também muitos inimigos. Em 1907, o bispo de Pokrovskoie denunciou-o como herético, e em 1909 a polícia secreta do czar, a Okhrana, já investigava suas atividades, incluindo o fluxo de mulheres em seu apartamento em São Petersburgo. Até mesmo o arquimandrita Theophan acabou concluindo que o *starets* era uma má influência e virou-se contra ele. O primeiro-ministro Pyotr Arkadievich Stolypin chegou a conseguir que Rasputin fosse banido da corte por um tempo, mas isso não durou muito, e o *starets* retornou após o assassinato do ministro, em 1911.

A proximidade entre Rasputin e a czarina ganhou dimensões de escândalo em 1912, quando um panfleto circulou em São Petersburgo trazendo cartas que Alexandra e suas filhas haviam mandado ao místico. As cartas haviam sido roubadas por um monge chamado Iliodor, que por algum tempo pertenceu ao círculo de Rasputin e depois se juntou aos seus opositores. Uma das seguidoras do monge chegou a tentar matar o *starets* a facadas em 1914, durante uma de suas visitas à família, na Sibéria. As cartas das meninas são inofensivas, mas entre as da czarina havia uma que permitia uma interpretação maliciosa:

> Minha alma só está tranquila e posso repousar quando tu, mestre, estás sentado junto a mim, e posso beijar tuas mãos e descansar a cabeça sobre teus benditos ombros. Oh, que fácil é tudo para mim então, apenas desejo uma coisa: dormir, dormir para sempre recostada em teus ombros, abraçada a ti. Oh, que felicidade me invade quando sinto tua presença perto de mim. Onde estás? Onde te meteste? É tão

duro e que angústia sinto em meu coração. [...] Voltarás depressa para perto de mim? Volta logo. Te espero e me atormento sem ti. Suplico tua sagrada bênção e beijo tuas benditas mãos. Aquela que te ama para sempre, Mamãe.[10]

Para quem não era familiar ao segredo da doença de Alexei e ao consolo que Rasputin dava à czarina, bem como ao nível de estresse em que ela vivia, parecia haver algo de inapropriado nessas palavras. Logo rumores de uma ligação amorosa entre os dois começaram a correr.

Caricatura mostrando o poder de Rasputin sobre os czares, *circa* 1916.

---

10 Apud RADZINSKY, 2003, p. 202.

O ÚLTIMO BRILHO DO IMPÉRIO

Nicolau, Alexandra e Alexei sendo carregado nos braços, em 1913, durante as comemorações dos trezentos anos da dinastia.

Em 1913, os Romanovs celebravam o tricentenário da subida da dinastia ao poder. Como era de se esperar, as festividades planejadas foram gloriosas. Os anos anteriores haviam sido de fartura, a industrialização continuava a evoluir, e esse florescimento econômico permitia celebrar grandiosamente o sucesso da família. Os políticos e a aristocracia esperavam que a lembrança das grandes figuras do passado pudesse fortalecer a união da nação em torno do czar.

A família imperial saiu de Tsarskoye Selo em direção ao Palácio de Inverno, em São Petersburgo, para as comemorações, que se iniciaram em 6 de março com um te-déum na Catedral de Kazan. Os dias seguintes foram cheios de cerimônias e festividades para os czares, fosse recebendo delegações de todas as partes da Rússia em trajes típicos, fosse indo a bailes. Alexandra compareceu com um vestido de corte e com o *kokoshnik*, o tradicional arranjo de cabeça das mulheres russas. As filhas usavam vestidos brancos com a fita da Ordem de Santa Catarina, e todos os grão-duques estavam presentes. Olga e Tatiana, o "Grande Par", já participavam das festas como adultas e podiam usar lindos vestidos longos.

Até o ovo Fabergé que Nicolau deu a Alexandra naquele ano homenageava a dinastia. Decorado com imagens de todos os czares Romanov, trazia dentro como surpresa dois mapas da Rússia, um de 1613 e outro de 1913. Em maio, a família embarcou num navio para Kostroma a fim de repetir os passos de Miguel, o primeiro czar da família, do monastério Ipatiev, onde vivia, até o trono. Por toda parte, camponeses recebiam o cortejo efusivamente, chegando a entrar na água do rio Volga para vê-los mais de perto ou atirando-se ao chão para beijar a sombra de Nicolau.

O auge da celebração ocorreu em Moscou, quando Nicolau atravessou a praça Vermelha sozinho e entrou no Kremlin ao som das orações dos padres alinhados ao longo do seu caminho. Pelo protocolo, tanto a imperatriz quanto o herdeiro deveriam caminhar atrás do czar, porém Alexei, novamente doente, teve de ser carregado por um dos seus marinheiros.

As quatro filhas de Nicolau e Alexandra, em 1913. Tatiana, de pé, e da direita para a esquerda: Olga, Anastácia e Maria.

O sucesso das comemorações fortaleceu a crença, principalmente para Nicolau e Alexandra, de que a autocracia continuava forte e tinha o apoio do povo. Por outro lado, os liberais da Duma ainda insistiam em reformas, sem encontrar ouvidos no czar e seus ministros. E, por trás de tudo isso, os opositores do regime continuavam atuando, mesmo do exílio. Das anistias concedidas durante a celebração, nenhuma dizia respeito aos prisioneiros políticos.

Enquanto o mundo fora do Palácio de Alexandre aparentava uma calma que não era real, Nicolau e Alexandra estavam começando a pensar no casamento das filhas. Olga completaria 18 anos no outono e, como filha do czar da Rússia, era um partido muito cobiçado, assim como suas irmãs mais novas. A revista francesa *Je Sais Tout* chegou a publicar em 1911 um concurso para que seus leitores apontassem com quem as grã-duquesas deveriam se casar. As melhores respostas, escolhidas pela revista, ganhariam prêmios.

Apesar de todas as questões de Estado que envolviam um casamento como o da filha mais velha de um imperador, Nicolau e Alexandra já haviam provado que razões sentimentais podiam ser passadas adiante dessas motivações. Olga tinha um favorito: um primo do czar, o grão-duque Dimitri Pavlovich. Depois de perder a mãe no parto e de seu pai ter sido banido da corte após um segundo casamento com uma mulher de condição inferior, Dimitri e sua irmã foram criados pelo tio, o grão-duque Sérgio, e a esposa dele, Ella, a irmã da czarina Alexandra. Ella e Sérgio não tinham filhos e educaram os dois como se fossem seus. Depois da morte do grão-duque e de Ella ter entrado para um convento, Dimitri foi morar no Palácio de Alexandre com os czares e tornou-se muito próximo de Nicolau, apesar da diferença de idade de mais de vinte anos.

Ele e Olga, quatro anos mais nova, apaixonaram-se. Em 1912, durante as comemorações do centenário da vitória contra Napoleão, em Borodino, Dimitri, que tinha acabado de participar das Olimpíadas de Estocolmo em hipismo, saltou um muro com seu cavalo, subiu a rampa que o separava da linha do trem e passou a acompanhar o vagão onde Olga estava, trocando sorrisos com ela na frente de todos.

Em 1913, a revista francesa *Je Sais Tout* propôs um concurso. As pessoas deveriam mandar para a redação as suas apostas dizendo com quem achavam que as quatro grã-duquesas russas iriam se casar. *Acervo do autor.*

O casamento com um grão-duque russo era uma escolha que permitiria que a jovem permanecesse junto aos pais, e parece ter agradado aos czares num primeiro momento. Mas, de uma hora para outra, Alexandra vetou a ideia, e os dois foram proibidos de continuar a se cortejar. Acredita-se que a mudança de humor da czarina se deveu a rumores sobre um relacionamento homossexual de Dimitri com o príncipe Félix Yussupov, herdeiro de uma das maiores fortunas da Rússia e um notório libertino. Dimitri parece ter culpado Rasputin pela súbita troca de posição de Alexandra.

Depois disso, os czares começaram a pensar em casar a filha mais velha com o príncipe Carol, herdeiro do trono da Romênia. A mãe dele, a rainha Maria, era prima tanto de Nicolau quanto de Alexandra, e, por parte de pai, ele era descendente do imperador d. Pedro I do Brasil. Mas Olga não queria nem ouvir falar sobre esse casamento. "Se eu não quero, não acontecerá. Papai prometeu não me forçar. [...] Eu seria uma estrangeira para o meu país; sou russa e quero permanecer russa", disse ao professor Gilliard.[11] Mesmo assim, depois das festividades do tricentenário, as filhas acompanharam os czares numa visita oficial ao porto romeno de Constança, onde Olga e Carol foram apresentados. Com a ajuda das irmãs, que fingiram um tédio mortal durante a ocasião, Olga conseguiu convencer o príncipe de que não estava interessada, e depois disso não se falou mais no assunto.

Esse ano também viu a última grande celebração envolvendo diversas casas reais antes do início da Primeira Guerra Mundial: o casamento da princesa Vitória Luísa, única filha do kaiser da Alemanha Guilherme II, com o príncipe Ernesto de Hannover, em maio. Foi a última vez que Guilherme, Nicolau e o britânico Jorge V se encontraram. O clima amistoso e familiar, já que todos eram ligados por laços de parentesco, escondia a tensão crescente entre os três países, que pouco mais de um ano depois estariam em guerra.

---

11 GILLIARD, 1928, p. 74.

O grão-duque Dimitri Pavlovich, primo do czar Nicolau II, com a imperatriz Alexandra, a bordo do iate *Standard, circa* 1908.

Nicolau e Alexandra com os filhos junto à família real da Romênia, em Constança, em junho de 1914. Nicolau está de pé do lado direito, e o rei Fernando I da Romênia, de pé do lado esquerdo. Alexandra, Tatiana e a rainha Maria da Romênia estão sentadas no centro, e Olga, na extrema direita. A rainha era prima tanto de Nicolau quanto de Alexandra. O rei Fernando era neto da rainha Maria II de Portugal, filha de d. Pedro I do Brasil e de d. Leopoldina.

GUERRA, MORTE E FOME

Nicolau e Alexei em meio às tropas durante a Primeira Guerra Mundial, *circa* 1916.

Não era apenas na Rússia que a situação política continuava instável. Em toda a Europa, as tensões entre os países cresciam. Em 1909, por exemplo, ao viajar por outros países, Nicolau recusou-se a passar pela Áustria, em protesto pela anexação da Bósnia e Herzegovina, dois anos antes. Aliada da Sérvia, a Rússia não via com bons olhos a interferência austríaca na região dos Bálcãs.

Logo no início de seu governo, em 1898, Nicolau havia feito um apelo em favor do desarmamento e pela resolução pacífica de conflitos entre os países, o que levou à organização da primeira Conferência de Haia, em 1899. Dessa e de uma segunda conferência, realizada em 1907, na qual se destacou o brasileiro Rui Barbosa, nasceram duas convenções e uma comissão de arbitragem internacional, da qual se originaria a Corte Internacional de Justiça. Porém, iniciativas como a de Nicolau não seriam suficientes para manter a paz na Europa.

Em 28 de junho de 1914, o assassinato do herdeiro do trono da Áustria, o arquiduque Francisco Ferdinando, por um anarquista sérvio levou a uma crise diplomática sem precedentes na Europa. A Rússia, aliada da França, impunha-se como defensora dos cristãos ortodoxos na península Balcânica e protetora da Sérvia. A Áustria, aliada da Alemanha, queria mais que uma reparação pelo crime: desejava um pretexto para invadir a Sérvia e acabar com os movimentos nacionalistas na península, que repercutiam no restante do seu império. A Turquia, também aliada alemã, tinha interesses nos Bálcãs e queria terminar com a influência russa na região.

Apesar do entusiasmo inicial dos oficiais militares com a ideia de uma guerra que daria uma vitória fácil ao Império Russo, algumas vozes sensatas ficaram imediatamente alarmadas. O conde Witte, que estava no exterior, voltou rapidamente e começou a trabalhar por uma saída diplomática. Até mesmo Rasputin, temendo o quanto isso podia custar em vidas ao povo russo, tentou convencer o czar a se manter de fora, chegando a escrever uma agourenta profecia de que a guerra traria apenas sofrimento à Rússia. No entanto, justamente nesse momento em que sua influência sobre Nicolau e Alexandra poderia ter agido em benefício do povo russo, Rasputin estava longe da corte. Ele

O grão-duque Nicolau Nicolaievich, apelidado de Nicolacha pela família, nomeado comandante em chefe do Exército russo, e o czar Nicolau II, em 1914.

ficou retido na Sibéria após ter sofrido uma tentativa de assassinato cometida por uma seguidora do monge Iliodor.

Assim, em agosto de 1914, estourou a Primeira Guerra Mundial, à qual a Rússia foi levada pelo intrincado sistema de alianças da época e pela ambição dos seus dirigentes. O comando da guerra foi dado ao grão-duque Nicolau Nicolaievich, e no início houve um ardente apoio da população, movido pelo nacionalismo e pelo ufanismo. Tudo o que era ou soava alemão foi banido, do costume das árvores de Natal ao nome germânico da capital São Petersburgo, que foi rebatizada de Petrogrado.

Mas, novamente, as bravatas militares tanto dos aliados quanto dos inimigos mostraram ser apenas o que eram: um misto de descolamento da realidade e presunção. A guerra, que se esperava que fosse rápida, com uma derrota fácil da Alemanha e da Áustria, se arrastaria por anos, e a pesada máquina estatal e militar russa sofreria.

A corrupção nas altas esferas cobrou o seu preço logo no início. O equipamento militar existia nas planilhas, mas não na realidade, e o que estava disponível era limitado e desatualizado. As linhas de suprimento, muito longas, eram ineficientes e causavam desabastecimento, chegando a faltar pão para os soldados e aveia para os cavalos. As sucessivas derrotas militares reduziam o moral das tropas. Lutando ao longo de uma linha de 880 quilômetros, o Exército russo teve um início brilhante, chegando a entrar na Prússia. Mas em seguida veio uma série de derrotas que o fez recuar; só na Batalha de Tannenberg houve 20 mil mortos e 90 mil aprisionados. Enquanto os seus aliados na França lutavam em trincheiras, os russos faziam cargas de cavalaria, e batalhões inteiros eram dizimados por metralhadoras alemãs. Os jovens oficiais que iam para o front, na tentativa de se mostrarem destemidos, acabaram tendo um dos maiores índices de mortalidade entre todas as demais nações. A piada no exército do czar era que seus valorosos aliados, os franceses e os ingleses em suas trincheiras, estavam dispostos a lutar até a última gota do sangue russo.

Em meio a esse caos, não ajudou nem um pouco a rivalidade entre o grão-duque Nicolacha e o ministro da Guerra, Sukhomlinov,

Nicolau e Alexei passando tropas em revista, em 1916. *(Romanov Collection. General Collection, Beinecke Rare Book and Manuscript Library, Yale University.)*

que não acreditava na necessidade de artilharia e se recusou a aumentar o orçamento para munições quando a guerra começou a se arrastar. Enquanto milhares de soldados perdiam a vida, o ministro usava dinheiro desviado do orçamento militar para vestir sua jovem esposa em Paris.

No início, Nicolau evitava interferir na autoridade do grão-duque Nicolacha. Permanecia no quartel-general, e Alexei, então com 11 anos, passava longas temporadas com ele, ao lado de seu tutor Gilliard, dois médicos e os marinheiros que tomavam conta dele. O czar via isso como uma oportunidade de tirar o filho do Palácio de Alexandre, um ambiente superprotegido onde o garoto era cercado pelos cuidados da mãe e das irmãs, e educá-lo para quando assumisse o trono. Para o menino, era uma chance de sair da redoma criada em torno dele, conhecer pessoas novas e dedicar-se a brincadeiras que não lhe seriam permitidas de outra forma. Ao mesmo tempo, travava contato com o mundo real, como quando visitaram um hospital com feridos de guerra.

A grande preocupação de Nicolau, porém, era com a doença do herdeiro. Alexei teve diversos pequenos ataques e, em dezembro, sofreu um forte sangramento nasal e teve que ser levado de volta a Tsarskoye Selo. Isso levou Nicolau a começar a questionar se o filho teria mesmo condições físicas de o suceder no trono.

Alexandra, por sua vez, dedicava-se aos cuidados com os feridos. Fez um curso de enfermagem e transformou o Palácio de Catarina, em Tsarskoye Selo, num hospital militar, que ela visitava diariamente. Junto com as filhas mais velhas, Olga e Tatiana, e a dama Anna Vyrubova, estava de pé às sete horas, deixando a antiga ociosidade de suas manhãs, e vestidas em uniformes de enfermeira as quatro dirigiam-se ao hospital. Lá, Alexandra podia ser vista enfaixando ferimentos, auxiliando cirurgiões em amputações ou mesmo consolando soldados.

Enquanto isso, as sucessivas derrotas levaram Nicolau, em agosto de 1915, a uma catastrófica decisão. Ele resolveu tomar para si o posto de comandante-chefe do Exército e assumir o comando das tropas. Tinha ao seu lado um soldado de carreira competente, o general Alexeiev, como chefe de estado-maior, para tomar na prática as

Foto tirada no quartel-general do Exército russo, a Stavka. Alexei está sentado na cabeceira da mesa, Nicolau é o segundo homem do lado esquerdo, próximo ao filho. O preceptor Pierre Gilliard está sentado na ponta da mesa, do lado direito, *circa* 1915. *(Romanov Collection. General Collection, Beinecke Rare Book and Manuscript Library, Yale University.)*

decisões militares. Mas, ao assumir ele próprio o comando, destituindo o grão-duque Nicolacha, o czar vinculou a sua imagem a todos os eventos positivos, mas principalmente a todas as mortes, desolações e perdas da Rússia durante a guerra.

Para que pudesse dedicar sua atenção total ao comando militar, Nicolau praticamente deixou o governo nas mãos de Alexandra. Isso era visto como uma consequência natural do papel de esposa do czar, que ela abraçou com o mesmo entusiasmo com que se dedicava ao papel de enfermeira, recebendo ministros e resolvendo minúcias de assuntos internos. Porém, além de despreparada para a função, Alix era malvista na corte e pelo povo devido a sua origem. Assim como Maria Antonieta havia sido chamada de "a austríaca" pela corte francesa, Alexandra era a "alemã". Boatos insistentes acusavam-na até de ser uma espiã, mas a realidade era bem distante disso. Alexandra nutria pouca simpatia pelo Império Alemão e menos ainda pelo seu primo, o kaiser Guilherme II; a sua afeição era mais inglesa e infinitamente pró-russa, como afirmaria o embaixador francês na Rússia, Maurice Paléologue:

> Alexandra Feodorovna não era alemã nem em espírito, nem no coração, e nunca foi [...]. Sua educação, sua instrução, sua formação intelectual e moral foram totalmente inglesas. Hoje mesmo ela é inglesa por seu exterior, por sua postura, por um certo elemento de reserva e de puritanismo, pela austeridade intransigente e militante de sua consciência e, por fim, por muitos de seus hábitos pessoais. A isso é limitado tudo que resta de suas origens ocidentais. O fundo de sua natureza tornou-se inteiramente russo. Em primeiro lugar, e apesar da lenda hostil que eu vejo se formar em torno dela, não duvido de seu patriotismo. Ela ama a Rússia com um amor fervoroso.[12]

Se a origem de Alexandra indispunha muitos contra ela, sua dependência de Rasputin tornava as coisas ainda piores. O *starets* era o seu conselheiro. Muitas vezes, a maneira como ela avaliava um ministro ou outro funcionário dependia exclusivamente de como a pessoa via Rasputin, que, segundo a sua métrica pessoal, era o salvador do seu filho e da dinastia. Assim, pessoas sem nenhuma habilidade acabavam nomeadas para altos cargos apenas por serem devotas ao monge ou mostrarem simpatia por ele.

Alexandra acreditava firmemente na autocracia e tinha horror aos liberais da Duma, que, segundo ela, queriam roubar os direitos

---

12 Apud GILLIARD, 1928, pp. 139-40.

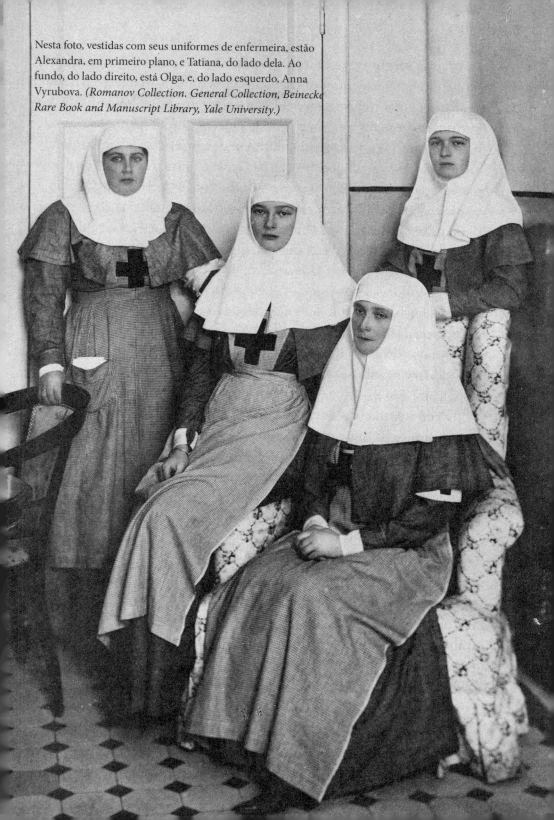

Nesta foto, vestidas com seus uniformes de enfermeira, estão Alexandra, em primeiro plano, e Tatiana, do lado dela. Ao fundo, do lado direito, está Olga, e, do lado esquerdo, Anna Vyrubova. *(Romanov Collection. General Collection, Beinecke Rare Book and Manuscript Library, Yale University.)*

do czar. O menor traço de apoio de algum ministro a algo discutido no parlamento era visto por ela como uma traição, e ele perdia a sua confiança. Em um ano e meio, a Rússia teve quatro primeiros-ministros, cinco ministros do Interior e três da Guerra. Muitos dos substitutos eram escolhidos por Rasputin, muito mais em função de sua lealdade à família imperial do que por sua capacidade para o cargo. Com isso, a máquina burocrática russa, que já sofria com a guerra, degringolou, o que acabou levando a uma crise em todos os setores da economia, deixando a indústria, os transportes e a agricultura à beira de um colapso. A popularidade da czarina, que nunca fora alta, sofria agora com a sua imagem vinculada aos tropeços do seu governo.

Além disso, aos poucos, Rasputin começou a se imiscuir até mesmo em assuntos militares, através de Alexandra. Apesar dos reiterados pedidos de Nicolau para que não compartilhasse com o monge os segredos do exército que ele dividia com ela, a czarina continuava pedindo o conselho do *starets* e escrevia suas recomendações de volta para o marido no front. Por algum tempo, esses conselhos tiveram pouco efeito, mas no verão de 1916 a Rússia lançou uma ofensiva contra a Áustria que teve um grande sucesso, mas com a perda de 1 milhão de vidas. Rasputin aconselhou que a ofensiva parasse, para evitar mais mortes, e Nicolau acabou cedendo, o que provavelmente custou à Rússia a vitória contra os austríacos.

Se antes a proximidade entre Rasputin e a czarina já causava incômodo na sociedade, sobretudo devido à imagem de devassidão que o público tinha dele, em meio à guerra, e ainda servindo de conselheiro para ela, isso se tornou escandaloso. Ninguém entendia por que aquele homem estava junto aos imperadores, por que ele tinha esse poder de traficar influência, de fazer subir e cair ministros. A sociedade não tinha noção da hemofilia do herdeiro e de como Rasputin era visto por eles, e principalmente por Alexandra, como salvador do trono.

A imperatriz Alexandra Feodorovna no traje da corte imperial russa, em 1908.

A MORTE DE RASPUTIN

Caricatura mostrando Rasputin dominando a corte imperial russa. *Capa da* Revista Novyi Satirikon, *abril de 1917.*

A influência de Rasputin sobre os czares foi tornando a situação insustentável. Cartazes satíricos eram espalhados pelas ruas de Petrogrado insinuando que ele e a czarina eram amantes. Membros da própria família, como um cunhado, a mãe de Nicolau e a irmã da czarina, tentaram fazê-los ver o perigo que a dinastia corria. Os alertas não tiveram efeito; pelo contrário, só serviram para indispor Alexandra contra os que se opunham a Rasputin. Parte da própria família imperial, liderada pelos Vladimirovichs, descendentes de um tio do czar, acreditava que Nicolau e Alexandra precisavam ser afastados. Oficiais do exército imperial imaginaram bombardear o carro do czar a caminho do front para eliminá-lo. Outros queriam prendê-lo e internar Alexandra num convento, substituindo-os por um membro mais decidido da família, como o grão-duque Nicolacha.

Os danos à imagem da monarquia tornaram-se tão graves que por fim um grupo de aristocratas e altos funcionários decidiu que precisavam se livrar de Rasputin de uma vez por todas. Já em fevereiro de 1916, uma denúncia levou à investigação sobre uma conspiração para matar o *starets*. Isso não dissuadiu os conspiradores, que incluíam vários membros da própria família Romanov. Entre eles estava Dimitri Pavlovich, que tinha uma motivação mais pessoal: ele culpava Rasputin pelo fim de seu compromisso com a grã-duquesa Olga.

Um dos mais famosos conspiradores foi o príncipe Félix Yussupov. Ele nasceu em São Petersburgo, em 1887, e levou uma vida extravagante desde jovem. Sua mãe, a princesa Zinaida Yussupova, era o último membro da família Yussupov, e, para não deixar o nome de família morrer, o marido dela, Félix Felixovich Sumarokov-Elston, conseguiu autorização para adotá-lo, recebendo também o título. A família, a mais rica da Rússia e uma das mais ricas da Europa, frequentava a alta sociedade mundial. O filho mais velho, Nicolau Yussupov, comprazia-se em fazer o caçula Félix vestir-se de mulher para confundir outras pessoas. Félix era provavelmente bissexual e tornou-se o herdeiro de toda a fortuna da família quando o irmão morreu num duelo.

Grão-duque Dimitri Pavlovich, primo do czar Nicolau II e um dos assassinos de Rasputin, em 1912.

Félix estudou silvicultura e inglês em Oxford, onde contava com pelo menos quatro empregados, tinha um cavalo, uma cacatua e um buldogue e passava a maior parte do tempo em festas. Quando retornou à Rússia, casou-se com a princesa Irina, em 1914. Irina era sobrinha de Nicolau, filha de sua irmã mais velha, a grã-duquesa Xênia. O casamento quase não aconteceu por causa da relação entre Félix e Dimitri. Nicolau e a família demoraram um bom tempo para consentir e tiveram um aliado inesperado: a própria avó de Irina, a imperatriz viúva Maria Feodorovna.

A causa da hesitação estava no trauma com o casamento entre a grã-duquesa Olga Alexandrovna, irmã de Nicolau, e o duque Pedro de Oldemburgo. Pedro era homossexual, e Olga foi profundamente infeliz na união até se apaixonar por um militar, o coronel Kulikovsky. Pedro deu sua permissão para eles se relacionarem, nomeou-o seu ajudante de campo, e passaram os três a dividir a mesma casa, até que o prazo de sete anos que Nicolau tinha exigido para permitir a anulação do casamento tivesse passado, o que ocorreu em 1916.

Félix e Irina, porém, demonstravam estar apaixonados e finalmente conseguiram autorização do czar para se casarem. Eles formavam um dos casais mais bonitos de São Petersburgo. Tiveram uma filha, nascida em 1915, que recebeu o mesmo nome da mãe e foi criada pela avó, a grã-duquesa Xênia.

Yussupov mais tarde afirmaria que a ideia de matar Rasputin veio dele, mas há dúvidas sobre isso, porque, dos membros da conspiração, só ele escreveu livros a respeito do assunto. Há indícios de que, além do grão-duque Dimitri e do político Vladimir Purishkevich, até a mãe de Yussupov, Zinaida, tenha estado envolvida, e de que Ella, irmã de Alexandra e mãe de criação de Dimitri, poderia estar a par dos planos.

Na noite de 29 para 30 de dezembro de 1916, Rasputin foi convidado por Yussupov para o seu palácio. O *starets* aceitou, na expectativa de ser apresentado à bela Irina, que, sem que ele soubesse, não estava em Petrogrado. Yussupov levou Rasputin, pouco depois da meia-noite, a uma sala no porão especialmente preparada para a ocasião. Enquanto isso, os outros conspiradores esperavam no andar de cima, simulando

Príncipe Félix Yussupov e sua esposa, a princesa Irina, filha da grã-duquesa Xênia e sobrinha do czar Nicolau II, *circa* 1915.

uma festa, produzindo barulhos e tocando música. Félix havia dito a Rasputin que Irina estava lá, recebendo convidados, e que assim que a festa terminasse ela desceria para encontrar com eles.

Enquanto isso, com a desculpa de entreter o monge, Félix serviu-lhe chá e bolos, ambos com cianureto. Mas isso não pareceu afetar Rasputin. Depois, também ofereceu vinho do Porto, igualmente envenenado, e mais uma vez o monge não deu o menor sinal de abalo, chegando mesmo a pedir que o príncipe cantasse para ele. Félix, apavorado, às duas e meia da manhã pediu licença e foi encontrar os outros conspiradores no andar de cima, onde pegou um revólver do grão-duque Dimitri e retornou. Yussupov reencontrou Rasputin admirando um crucifixo na parede, mandou que ele fizesse suas últimas orações e atirou-lhe uma vez no peito.

Deixando o monge caído no chão, dois dos conspiradores foram até o apartamento de Rasputin, um deles vestido com as roupas do *starets*, para simular que ele havia voltado para casa. Enquanto isso, Yussupov retornou ao porão e olhava o corpo quando subitamente Rasputin abriu os olhos, ergueu-se e começou a atacar o príncipe.

Félix conseguiu se livrar e correu para o andar de cima, seguido pelo místico, que escapou até o pátio do palácio, coberto com uma fina camada de neve escorregadia. Ali, Rasputin foi atingido por dois outros tiros, um no ombro e outro na cabeça, e caiu sobre um monte de neve. Existem versões diferentes sobre quem fez os disparos. Purishkevich, em seu relato manuscrito sobre o assassinato, afirma que, depois de ter errado dois tiros, conseguiu acertar o *starets*. Mas o autor russo Edvard Radzinsky, ao investigar o incidente, concluiu que o único dos conspiradores que atirava bem o bastante para atingir Rasputin era o grão-duque Dimitri. Ele pode ter sido preservado pelos demais porque, como membro da família imperial, poderia ser um candidato ao trono caso Nicolau abdicasse.[13]

Os tiros foram ouvidos pela polícia do quarteirão, que foi tentar saber o que havia acontecido. O policial, atendido por Purishkevich,

---

13 RADZINSKY, 2003, pp. 587-9.

Porão onde Rasputin foi assassinado, no Palácio de Yussupov, em São Petersburgo.

foi informado de que eles haviam matado aquele "cão do Rasputin", "inimigo da Rússia e do czar". Um dos homens foi até o pátio, porém Yussupov mandou-o embora dizendo que um dos convivas havia bebido demais e disparado a esmo. Para manter essa versão, mais tarde, Félix atirou num de seus cachorros. Os conspiradores então enrolaram o corpo de Rasputin num tapete, amarraram com uma corda e atiraram-no numa fenda no gelo que cobria o rio Neva.

Na manhã seguinte, o desaparecimento de Rasputin soou o alarme entre as suas devotas. Ninguém sabia onde ele estava. Logo, boatos sobre o assassinato correram Petrogrado, graças à indiscrição de Purishkevich. O corpo, porém, só foi encontrado no dia 1º de janeiro. Quando foi retirado do gelo, tinha os braços erguidos acima da cabeça. Uma autópsia foi realizada, mas o laudo cadavérico desapareceu nos anos 1930, restando apenas a fotografia. Segundo algumas fontes, a causa da morte foi estabelecida como sendo hipotermia, embora se diga também que a autópsia determinou que Rasputin já estava morto quando foi jogado no rio.

Uma investigação foi aberta, mas, mesmo antes disso, a grã-duquesa Olga escreveu em seu diário: "Soubemos por fim que o padre Gregório foi assassinado, tem que ter sido Dimitri".[14] Purishkevich conseguiu escapar, entrando num trem para o front, mas tanto Yussupov quanto Dimitri foram implicados e postos em prisão domiciliar pela czarina.

O assassinato do *starets* abriu mais uma divisão interna na família imperial. Como os membros da dinastia só podiam ser punidos pelo imperador, cabia a Nicolau determinar o que deveria acontecer com Dimitri, seu primo, e com Yussupov, esposo de sua sobrinha Irina. Uma petição encabeçada por parentes de Nicolau II pediu que ele perdoasse os assassinos. O czar recebeu pressão até dentro de casa. Segundo Anna Vyrubova, Alexei, ao ouvir que Rasputin havia sido assassinado, implorou ao pai que não punisse os culpados com a pena de morte, pois ainda se recordava da execução dos assassinos de Stolypin.[15] Mesmo sem dar uma punição tão séria, Nicolau mandou-os para o exílio. Enviou Dimitri para o front na Pérsia e baniu Yussupov para a Crimeia. Ironicamente, isso acabou salvando suas vidas, pois eles estavam fora da capital quando estourou a revolução e conseguiram escapar da Rússia com vida.

Rasputin foi enterrado em 3 de janeiro de 1917, na capela da propriedade de Anna Vyrubova em Tsarskoye Selo, próximo de onde os imperadores moravam, numa cerimônia assistida apenas pela família e por alguns amigos íntimos. Mas ele não teria descanso nem depois de morto. Seu corpo foi exumado e queimado após a revolução de fevereiro de 1917 por um grupo de soldados, para que seu túmulo não virasse local de peregrinação.

A lenda ao redor da vida e da morte de Rasputin perdura até os dias atuais e transformou-o numa figura da cultura popular. Quem

---

14 Apud RADZINSKI, op. cit., p. 587.
15 VYRUBOVA, 1923.

Foto de Rasputin morto, retirada do inquérito a respeito de sua morte.

estiver hoje vagando insone pelas ruas de São Petersburgo pode encontrar, na rua Ulitsa Sedova, 11, o MusEros, Museu do Erotismo, que funciona 24 horas dentro de um centro comercial. Entre várias atrações, como pinturas, esculturas e aparelhos que teriam dado prazer a personagens históricos como Catarina, a Grande, o visitante pode se deparar com um dos mitos envolvendo Rasputin: o que diz respeito ao seu pênis.

Desde a época em que ele foi assassinado, existe a lenda de que seu órgão teria sido arrancado pelo príncipe Yussupov e que um criado do palácio, ardente seguidor de Rasputin, teria roubado o membro. Quando estourou a revolução, esse funcionário teria fugido para Paris, onde se formou um culto ao redor da relíquia, que era adorada por ter alegados poderes contra a impotência. A filha de Rasputin, Maria, teria descoberto essa seita macabra e exigido o órgão do pai, mas depois o teria vendido. Um médico comprou um pênis e essa lenda ao redor dele, e assim o órgão acabou nesse museu. Apesar das filas que se formaram quando o local expôs inicialmente a estranha relíquia, o médico que fez a autópsia de Rasputin tinha observado em suas anotações que o corpo estava completamente intacto.

O seu lado místico também ainda permanece no imaginário, alimentado por diversas profecias que ele teria feito. A mais surpreendente dizia respeito a sua própria morte. Pouco tempo antes de ser assassinado, Rasputin teria previsto que não chegaria vivo ao início de 1917 e teria escrito uma carta a respeito. Nela, informava que, se fosse morto por pessoas comuns, o czar não deveria ter medo por seus filhos, pois os Romanovs reinariam por mais cem anos. Porém, se ele fosse morto por nobres, as mãos deles ficariam sujas por 25 anos. A família seria obrigada a deixar a Rússia, irmãos matariam irmãos e, por todo o tempo profetizado, não existiriam mais nobres no país. Se os parentes do czar participassem da sua morte, ninguém da família imperial permaneceria vivo por mais de dois anos. Todos seriam mortos pelo povo russo.

TEMPO DE REVOLUÇÃO

Patrulha revolucionária em Petrogrado, em março de 1917. *Foto do fotógrafo Yakov Vladimirovich Steinberg.*

A morte de Rasputin deixou Alexandra prostrada. O salvador da família e da dinastia, na concepção dela, havia sido assassinado, e agora ela estava praticamente só para lutar por seus filhos e seu marido. O início de 1917 foi particularmente terrível não só para os Romanovs, mas para a Rússia, varrida pela fome. As temperaturas atingiram níveis tão baixos que os camponeses se recusavam a conduzir as carroças de alimentos para as cidades. Enquanto isso, as ferrovias, sobrecarregadas em levar homens e suprimentos para o front, não transportavam alimentos o suficiente para os grandes centros urbanos. Não era apenas comida que faltava em razão da péssima administração da máquina estatal, mas também combustível. As fábricas haviam sido fechadas por causa da falta de carvão, e o desemprego atingia níveis alarmantes. Muitas mulheres passavam horas nas filas de racionamento do pão, debaixo da neve. O pão era escasso devido à falta de combustível para os fornos e não dava para todos. Se a população sofria pela escassez de comida e pela inflação, a situação dos homens na guerra era ainda pior: três quartos do Exército russo haviam sido dizimados.

Enquanto isso, políticos e diplomatas estrangeiros estavam alarmados com a situação caótica do governo e seus efeitos no país. Até mesmo os embaixadores da França e da Inglaterra, Paléologue e Buchanan, romperam a política de não interferir em assuntos internos e alertaram o czar sobre a necessidade de um governo que tivesse a confiança da Duma e do povo. O presidente da Duma, Mikhail Rodzianko, chegou a ser ousado o bastante para pedir diretamente a Nicolau que afastasse Alexandra da direção dos negócios. "Majestade, não obrigue o povo a escolher entre vós e o bem do país", alertou Rodzianko. O czar apertou a cabeça nas mãos: "Será possível que durante 22 anos eu tenha tentado agir pelo melhor e que durante esses 22 anos tenha sido tudo um erro?". E recebeu a resposta dura: "Sim, majestade, durante 22 anos seguiu um caminho errado".[16]

Todos eles tentaram avisar Nicolau sobre o risco de a autocracia, à qual ele tanto se apegava, ser arrancada de suas mãos por meio de

---

16 MASSIE, 1969, p. 362.

uma revolução. Conspirações estavam em todas as partes; na corte, falava-se abertamente em obrigar o czar a renunciar em favor de Alexei e colocar o grão-duque Nicolacha como regente. Porém Nicolau não dava ouvidos aos avisos. Sossegado por relatórios do então primeiro-ministro, Protopopov, que ofereciam um quadro ficcional da situação, ele acreditava que tudo estava bem e que o povo o amava.

Mas o risco maior ao poder de Nicolau não estava na corte e sim nas organizações revolucionárias, que, derrotadas na Revolução de 1905, voltavam a se fortalecer com a crise generalizada. Os mais importantes deles eram os dois grupos socialistas originados em 1903 de uma cisão no Partido Operário Social-Democrata. Um deles, liderado por Yuli Martov, defendia que se esperasse até que o capitalismo estivesse plenamente desenvolvido na Rússia antes de romper com a burguesia liberal e iniciar uma revolução. O outro, liderado por Vladimir Ulyanov, conhecido como Lênin, acreditava que o partido deveria buscar uma revolução imediata por meio de uma aliança entre operários e camponeses. Ele era o irmão do revolucionário Alexandre Ulyanov, executado por Alexandre III por uma acusação de terrorismo. A tese de Lênin prevaleceu na época, o que valeu a seu grupo o nome de bolcheviques, que significa "maioria". O grupo dissidente de Martov ficou conhecido como mencheviques, "minoria", e a esta facção pertencia o mais conhecido líder da revolução de 1905, Leon Trotsky. No início de 1917, os mencheviques tinham representação na Duma, enquanto a maioria dos líderes bolcheviques havia sido exilada.

Depois de ter passado os primeiros meses de 1917 com a família, em Tsarskoye Selo, Nicolau partiu abruptamente para o quartel-general em 7 de março, embora fosse esperado na Duma, numa última tentativa de apaziguar a oposição. No dia 8 após as manifestações do Dia Internacional da Mulher, a paciência das russas acabou, e centenas invadiram padarias atrás de comida. Os saques continuaram nos dias seguintes, assistidos por patrulhas de cossacos, que se recusavam a interferir. Enquanto isso, os ataques ao governo tornavam-se mais fortes na Duma, liderados por Alexandre Kerensky, um político de centro-esquerda nascido na mesma cidade de Lênin e cuja família era amiga da dele.

No sábado, 10 de março, várias categorias de trabalhadores entraram em greve em Petrogrado. Multidões carregando bandeiras vermelhas tomaram as ruas, pedindo a renúncia de Protopopov e gritando palavras de ordem contra a guerra e a imperatriz "alemã". O gabinete ministerial passou a noite discutindo a seriedade da situação e como resolver a falta de alimentos. Deputados mencheviques começaram a falar sobre a instalação de um soviete dos trabalhadores para lidar com os problemas.

A maioria dos ministros enviou um pedido a Nicolau para que nomeasse um novo gabinete, mas ele, mal informado por Protopopov e por Alexandra sobre o nível dos protestos, recusou. O czar, sem ter ideia da gravidade da crise, ordenou que as manifestações fossem reprimidas, e o general comandante da guarnição enviou tropas para a cidade e mandou colocar cartazes nas ruas proibindo reuniões públicas. As ordens foram completamente ignoradas, e a situação agravou-se quando soldados fiéis ao governo abriram fogo contra um grupo de manifestantes na praça Znamenski, matando quarenta pessoas. Parte da guarnição de Petrogrado insurgiu-se a favor do povo e contra o governo. Soldados passaram a usar fitas vermelhas nas baionetas, em sinal de seu apoio aos cidadãos, recusando-se a obedecer a qualquer comando de atirar em civis e chegando a matar os oficiais que ordenavam isso. Os protestos foram se tornando mais intensos. Ao final do dia, duzentas pessoas tinham sido mortas.

Rodzianko telegrafou a Nicolau implorando que ele tomasse medidas para conter o caos, escolhendo alguém da confiança de todos para formar um novo ministério. Mas, com seus generais retendo informações, o czar achou aquilo exagerado e disse a Alexeiev: "Aquele gordo Rodzianko enviou-me uns disparates a que não me darei sequer ao incômodo de responder".[17] No dia seguinte, o líder da Duma mandou outro telegrama: "A situação piora. Deve tomar medidas imediatas porque amanhã será tarde demais. Chegou a hora

---

17 MASSIE, 1969, p. 368.

População nas ruas de Petrogrado durante a revolução de março de 1917.

em que o destino da pátria e da dinastia será decidido".[18] O czar, finalmente tomando ciência da gravidade da situação, em vez de seguir o conselho, enviou reforços militares contra a capital, suspendeu a Duma e decidiu retornar a Petrogrado. Mas já era tarde demais: a revolução havia começado.

Na segunda-feira, 12 de março – 27 de fevereiro no calendário juliano –, os trabalhadores e soldados uniram-se numa revolta que levou uma multidão às ruas. Entre saques de lojas e linchamento de oficiais, o Ministério do Interior foi tomado, prisões foram abertas, e a bandeira vermelha foi hasteada no Palácio de Inverno. À noite, eles tinham o controle de Petrogrado. No dia seguinte, a Duma, confrontada pela multidão que entrava no Palácio Tauride, ignorou a ordem do czar de se dissolver e reuniu-se em sessão permanente e formou um comitê. O órgão, chefiado por Rodzianko, tentava dominar a situação, na prática assumindo o governo e transformando o que era um levante local em

---

18 Apud RADZINSKY, [199-], p. 238.

algo com alcance nacional. Ao mesmo tempo, e no mesmo edifício, o Soviete dos Trabalhadores de Petrogrado voltou a se constituir. Em dois dias, a maioria da guarda e das forças armadas dera sua lealdade à Duma, incluindo um regimento da guarda marinha vindo de Tsarskoye Selo. Este era liderado pelo grão-duque Cirilo, primo do czar, que chegou a hastear uma bandeira vermelha em seu palácio.

Nicolau, finalmente alarmado pelos relatórios militares, tentou voltar para a cidade. Seu trem, porém, foi retido a 170 quilômetros da capital devido à greve dos ferroviários. O czar decidiu retornar até Pskov, de onde conseguiu contato com Rodzianko, que lhe informou sobre a revolução e o estabelecimento de um governo provisório, liderado pelo príncipe Lvov.

Enquanto isso, em Tsarskoye Selo, o Palácio de Alexandre tinha virado uma enfermaria. Todas as meninas, exceto Maria, haviam pegado sarampo, assim como Anna Vyrubova. Alexandra estava cuidando das pacientes, que acabariam por ter que raspar a cabeça como parte do tratamento. Rodzianko tentou convencer a czarina a deixar o local e fugir antes que o ramal de trem para lá fosse interrompido, mas ela recusou-se a mover os doentes. Logo se tornou possível ouvir disparos próximos. Era um grupo de homens que havia se dirigido para lá para capturar a "alemã". Uma sentinela foi morta a quinhentos metros do Palácio de Alexandre, mas, ouvindo rumores de que o local estava fortemente guarnecido, os soldados amotinados retiraram-se para o vilarejo. As crianças chegaram a ouvir tiros, mas foram informadas de que era apenas um exercício militar.

A czarina convocou as tropas leais da guarda para realizar a defesa, chegando a inspecioná-las à noite, ao lado da grã-duquesa Maria. Mas, nos dias seguintes, aos poucos, os batalhões foram aderindo aos rebeldes e partiram para Petrogrado, entre eles a guarda marinha comandada pelo grão-duque Cirilo. "Os meus marinheiros – os meus próprios marinheiros – nem posso acreditar!", exclamou Alexandra, desolada.[19] Finalmente, o exército da czarina ficou reduzido a duas

---

19 MASSIE, 1969, p. 397.

companhias. Sem notícias de Nicolau, que já deveria ter chegado, com seus telegramas a ele devolvidos com a mensagem "endereço desconhecido", e temendo uma invasão ao palácio, Alexandra convocou o grão-duque Paulo, pai de Dimitri. O grão-duque morava próximo, numa casa em Tsarskoye Selo, e ao chegar ao Palácio de Alexandre finalmente explicou a ela que a Duma já havia tomado o poder.

Em 15 de março, Paulo, a pedido dela, conseguiu que o novo governo garantisse que a família imperial não seria incomodada. Mesmo assim, insegura com a situação, Alexandra começou a queimar diários e parte da sua correspondência, inclusive todas as cartas que trocara com sua avó, a rainha Vitória.

Naquela manhã, em Pskov, onde Nicolau estava retido com o seu trem, o general Ruzky apresentou a ele diversos telegramas. Uns informavam sobre a situação da capital, outros surpreenderam o czar. O general Alexeiev, que coordenava o comando do Exército, em contato com a Duma, havia sido convencido a consultar os demais chefes militares a respeito do que acontecia. A maioria esmagadora, inclusive o grão-duque Nicolacha, telegrafou para o czar pedindo que ele abdicasse. Com a capital perdida e sem o apoio do Exército, Nicolau não tinha outra opção. Seu reinado havia acabado. Ele mergulhou em profunda aflição mental, tentando deliberar o que fazer. Com mais detalhes a respeito do que ocorrera em Petrogrado e tomando conhecimento até da debandada da sua guarda pessoal de junto de sua família, a hipótese de se lançar numa aventura militar contra a cidade parecia inviável. E, mesmo que conseguisse soldados suficientemente leais para isso, o que aconteceria a Alexandra e às crianças em Tsarskoye Selo, à mercê dos revolucionários?

Nicolau informou aos generais que estavam na sala que decidira abdicar em favor de Alexei. Mas, durante a tarde, teve uma conversa com seu médico, que lhe garantiu que não havia esperanças de recuperação do menino e que, além disso, era possível que Nicolau fosse exilado e separado do filho. Essa hipótese fez com que ele decidisse abdicar em favor do seu irmão mais novo, o grão-duque Miguel.

No mesmo dia, na estação onde o trem de Nicolau continuava detido, dois representantes da Duma foram a seu encontro. Eles queriam a abdicação do czar para evitar mais derramamento de sangue, mas Nicolau respondeu calmamente que já tomara essa decisão, não apenas em seu nome, mas também no de seu filho.

O manifesto que entregou aos delegados da Duma dizia:

> [...] Nestes dias decisivos para a vida da Rússia, julgamos uma questão de consciência facilitar para nosso povo a união e a formação das fileiras de forças populares ao redor desse objetivo, que é uma rápida vitória, e assim, de acordo com a Duma, reconhecemos a necessidade de abdicarmos ao trono do Estado Russo e nos desembaraçarmos do poder supremo. Não desejando a separação de nosso amado filho, transferimos nosso legado ao nosso irmão, grão-duque Miguel Alexandrovich, e o abençoamos em sua ascensão ao trono do Estado Russo. Recomendamos ao nosso irmão que governe em união plena e inviolável com os representantes do povo, de acordo com os princípios que serão estabelecidos. Que o Senhor Deus socorra a Rússia.[20]

Alguns dias depois, Miguel também rejeitou a Coroa, terminando assim com mais de trezentos anos da dinastia. Os Romanovs haviam ascendido ao trono com um Miguel, e outro punha fim à história da família no poder.

---

20 Apud RADZINSKY, [199-], p. 250.

Nicolau II em seu trem particular, *circa* 1917.

"CIDADÃO NICOLAU"

Nicolau, em prisão domiciliar, no parque do Palácio de Alexandre, em Tsarskoye Selo, 1917. *(Romanov Collection. General Collection, Beinecke Rare Book and Manuscript Library, Yale University.)*

Em vez de retornar a Tsarskoye Selo, Nicolau dirigiu-se ao quartel-general em Mogilev, onde foi recebido pelos membros do estado-maior. Parecia cansado e abatido. Ele ficou hospedado na casa do governador, onde se despediu solenemente dos militares e dos observadores estrangeiros e onde pôde finalmente retomar o contato com a família e falar com Alexandra ao telefone. No dia 17, a imperatriz viúva Maria Feodorovna, vinda de Kiev, chegou para ficar com o filho. Nicolau foi recebê-la na estação e os dois conversaram a sós por duas horas. Maria havia ficado transtornada com a notícia da abdicação e, segundo sua filha Olga, culpava Alexandra por isso.[21]

O general Alexeiev tentou negociar com a Inglaterra a partida imediata de Nicolau e da família para o exílio, mas, antes que ele tivesse uma resposta, o Soviete de Petrogrado decidiu que tanto o czar quanto a czarina deveriam ser presos. Em 21 de março, Alexandra, vestida de enfermeira, recebeu o general Kornilov, comandante da guarnição da capital, que a informou de que fora posta sob prisão domiciliar para sua própria segurança. Os soldados fiéis à família que ainda guardavam o palácio foram substituídos por militares leais ao Governo Provisório. Os membros da corte foram avisados de que poderiam partir, caso contrário também ficariam detidos. Restava informar os filhos sobre a abdicação do pai. Alexandra foi conversar com as meninas, enquanto o tutor de Alexei, Gilliard, encarregou-se de levar a notícia ao menino. O suíço disse-lhe que o pai estava voltando, pois já não queria ser comandante-chefe e também não queria mais ser czar.

– Como? Por quê?
– Porque ele está muito cansado e tem tido grandes dificuldades nos últimos tempos.
– [...] Mas papai será czar de novo depois?
Eu lhe expliquei então que o imperador havia abdicado em favor do grão-duque Miguel, que também havia desistido, por sua vez.
– Mas então quem será czar?

---

21 MASSIE, 1969, p. 391.

– Não sei, agora ninguém...
Nem uma palavra sobre ele, nem uma alusão a seus direitos de herdar. Ele estava muito vermelho e emocionado.
Ao fim de alguns minutos de silêncio, ele me disse:
– Mas então, se não há mais imperador, quem vai governar a Rússia?[22]

Enquanto isso, em Mogilev, Nicolau e Maria Feodorovna, após passarem três dias juntos, na companhia de alguns outros parentes, despediram-se num almoço antes de o ex-czar embarcar escoltado para Tsarskoye Selo. Foi a última vez que mãe e filho se viram.

Nicolau, ao chegar ao palácio, foi anunciado por uma sentinela como "cidadão Nicolau Romanov". Esse foi o seu primeiro choque de ter passado de imperador a um cidadão comum. Ao entrar, ele tocava o quepe automaticamente quando via algum soldado, respondendo a cumprimentos que não lhe eram mais dirigidos. Quando finalmente chegou aos seus aposentos privados, porém, um criado o anunciou como "sua majestade, o imperador!". Ao ouvir isso, Alexandra correu ao encontro do marido e lançou-se em seus braços. Juntos, eles finalmente se permitiram chorar.

Restava a questão de o que fazer com os Romanovs. O Governo Provisório conseguiu uma promessa do governo britânico de que os ingleses enviariam um navio para levar Nicolau e a família para o exílio, enquanto os russos comprometeram-se a financiar as despesas do ex-czar e de sua mulher e filhos no estrangeiro. Porém, temendo que a opinião pública e o Soviete de Petrogrado criassem resistência, pediram que não fosse informado que a iniciativa partira do governo. A própria família foi avisada dessas negociações. Nicolau chegou a escrever em seu diário que iria começar a embalar as coisas que levaria à Inglaterra, e até as crianças interrogavam seus tutores sobre a vida naquele país.

Enquanto se decidia sobre seu destino, a família imperial ficara confinada no palácio, onde, à parte de terem de pedir autorização até mesmo para caminhar no parque, adaptaram-se a uma vida familiar

---

22 GILLIARD, 1928, p. 175.

comum. Maria acabara também ficando doente, com o sarampo complicado por uma pneumonia, e Nicolau e Alexandra passavam a maior parte do tempo com as crianças ainda de cama. O palácio estava cheio de pessoas estranhas, como membros do soviete indo de um lado para outro. Apenas um grupo pequeno de cortesãos fiéis permanecera ao lado dos Romanovs, incluindo os professores das crianças e os médicos. Toda a comunicação com o exterior era supervisionada. Tudo o que entrava era examinado, até mesmo barras de chocolate.

Todos os documentos encontrados na casa foram recolhidos e levados a uma comissão de inquérito, para a qual Anna Vyrubova foi convocada, passando alguns dias na prisão. O objetivo da comissão, dirigida pelo ministro da Justiça e homem forte do Governo Provisório, Alexandre Kerensky, era investigar se os czares haviam cometido traição passando informações para os alemães. Kerensky decidiu que Alexandra deveria ser interrogada e, enquanto isso, ela e Nicolau não poderiam conversar.

Durante dezoito dias, Nicolau foi mantido numa ala do palácio separada da família, e todos só podiam se ver durante as refeições, na presença de oficiais e desde que a conversação entre eles fosse feita em russo. A conclusão do inquérito foi de que Alexandra era inocente e, se Nicolau era culpado de alguma coisa, era apenas de não ter tomado atitudes firmes quando deveria.

Para Nicolau, apesar do confinamento, aquela foi uma oportunidade de se dedicar ao que gostava sem que assuntos de Estado tomassem todo seu tempo. Podia ler o quanto quisesse, cuidar do jardim, passar horas brincando com as crianças e até mesmo plantar uma horta com elas. Ele desenvolveu um plano para recomeçar as lições dos filhos, dividindo-as entre os adultos presentes. Nicolau ficou responsável por história e geografia e, na primeira vez em que deu aulas, cumprimentou o tutor Gilliard chamando-o de "caro colega".

Se Nicolau parecia aliviado, Alexandra não aceitou o cativeiro tão bem quanto o marido. Ela sentia falta de mimos como ter o quarto e as salas cheios de flores e via a perda de status como uma humilhação. A ex-czarina emagreceu, seus cabelos tornaram-se grisalhos, e

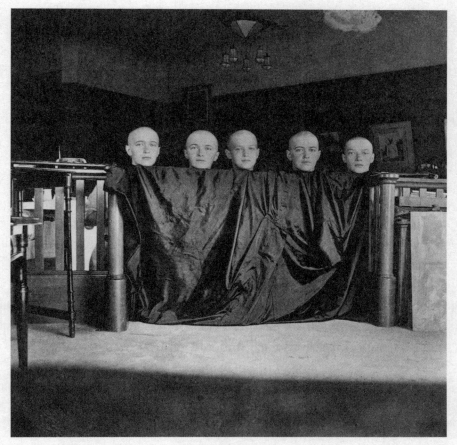

Em solidariedade às irmãs, que tiveram que raspar a cabeça porque ficaram doentes, Alexei também raspou a dele, e bateram essa foto divertida em 1917. Da esquerda para a direita: Anastácia, Olga, Alexei, Maria e Tatiana.
(Romanov Collection. General Collection, Beinecke Rare Book and Manuscript Library, Yale University.)

ela passava a maior parte do tempo num dos quartos, saindo apenas numa cadeira de rodas empurrada por Nicolau.

A todo momento a família era lembrada de que eram prisioneiros e que estavam à mercê do humor dos revolucionários. A quantidade de vezes que ouviram as expressões "ex-czar", "ex-imperador", "ex-imperatriz" e "ex-czarina" acabou levando a piadas. Certa vez, quando chegou à mesa um presunto estragado, Nicolau fez todos rirem ao dizer que um dia aquilo podia ter sido um presunto, mas que agora não passava de um ex-presunto. Mas não era possível rir de outras situações, como quando um boato de que eles haviam escapado chegou a Petrogrado, e um grupo de soldados foi até Tsarskoye Selo para tentar levar Nicolau preso para a Fortaleza de Pedro e Paulo. O oficial a cargo dos prisioneiros recusou-se a entregá-los, mas finalmente permitiu que os visitantes pudessem vê-los num corredor para se assegurarem de que estavam ali.

Além de serem exibidos como animais em cativeiro, estavam sujeitos a humilhações no seu dia a dia. Certa vez, quando Nicolau estava passeando de bicicleta no parque, um soldado enfiou a baioneta do fuzil na roda, fazendo com que o ex-czar caísse. No verão, quando Alexei se divertia no jardim com seu rifle de brinquedo, os guardas denunciaram a família por terem armas no palácio. Apesar dos protestos de Pierre Gilliard, o menino foi obrigado a entregar o brinquedo, que, mais tarde, foi restituído pelo oficial responsável. O comandante do palácio desmontou-o e devolveu peça por peça, com a condição de que o garoto brincasse com ela somente dentro do quarto.

Alexei sofreu uma perda mais pessoal que a de um brinquedo. Derevenko, um dos marinheiros que o acompanhavam desde criança e o carregavam em cerimônias públicas, quando ele ainda estava se recuperando das crises de hemofilia, decidiu abandonar o seu serviço no palácio. Antes disso, porém, invadiu o quarto do menino e, aos gritos, obrigou-o a fazer tarefas servis para ele. Nagorny, o outro marinheiro, indignado com a traição do colega, escolheu ficar no palácio e permaneceu cuidando de Alexei até pouco antes de sua morte.

Mas a convivência com os revolucionários também trazia algumas surpresas interessantes. Certa vez, Alexandra estava sentada num tapete, bordando no jardim, quando um dos soldados se acomodou subitamente ao lado dela. A ex-czarina afastou-se um pouco e escutou calmamente enquanto o homem acusava-a de desprezar o povo russo por não ter viajado pelo país para conhecê-lo. Alexandra explicou que cuidara pessoalmente dos cinco filhos quando eles eram pequenos, amamentara todos eles e, depois, ficara doente demais para viajar. O soldado mudou de postura e começou a perguntar a ela sobre sua vida e sua relação com a Alemanha, e, quando uma dama de companhia

Alexandra tomando sol em sua cadeira de rodas, no parque do Palácio de Alexandre, em 1917. *(Romanov Collection. General Collection, Beinecke Rare Book and Manuscript Library, Yale University.)*

dela voltou com um oficial para retirar o soldado invasivo, os dois estavam calmamente discutindo questões de religião.

Enquanto os Romanovs tentavam se adaptar a essa nova vida como prisioneiros no Palácio de Alexandre, em Petrogrado a opinião pública continuava se voltando contra os ex-czares. Nicolau era visto em caricaturas batendo palmas para a execução de prisioneiros políticos, enquanto a ex-czarina banhava-se no sangue dos executados. Alegados menus luxuosos, mostrando as refeições servidas aos prisioneiros em Tsarskoye Selo, eram publicados em jornais às vistas da população faminta. Folhetos, jornais e brochuras davam ares de verdade à relação entre Rasputin e Alexandra, agora com testemunhas oculares que nunca existiram relatando cenas irreais. Os Romanovs nunca havia sido tão odiados.

Os dias arrastaram-se, viraram meses, e não se vislumbrava nenhum sinal do prometido envio de um navio britânico para tirá-los do país. Na Inglaterra, o rei Jorge V tinha seus próprios problemas. Conforme a guerra se prolongava, o desgaste levava a um ódio crescente contra tudo que era alemão. Buscando a sobrevivência de sua própria dinastia, o rei trocou o nome da casa real de Saxe-Coburgo-Gotha, tido como muito germânico, para Windsor. Embora Jorge mantivesse uma ligação emocional com Nicolau e Alexandra, a opinião pública era contra os ex-imperadores, considerados "traidores" do seu povo e dos aliados. Assim, essa ajuda aos primos poderia representar risco à imagem da própria família real britânica.

Jorge apresentou ao gabinete suas dúvidas sobre a conveniência de trazer os Romanovs para o país. Em abril, o Ministério do Exterior emitiu uma declaração de que "o governo de sua majestade não insiste em sua oferta anterior de hospitalidade à família imperial".[23] O embaixador britânico na Rússia, sir George Buchanan, foi orientado a sugerir ao governo provisório que enviasse os ex-czares para a França ou a Espanha. Assim, a proposta acabou esquecida. Kerensky chegou a tentar retomar o contato em junho, mas recebeu uma recusa.

---
23 Apud CARTER, 2013, p. 493.

Os primos Nicolau II e Jorge V na ilha de Wight, Inglaterra, em 1909. Eles estão com os seus filhos; à esquerda, o futuro Eduardo VIII da Inglaterra, que abdicaria em 1936, e do lado direito o czarévitche Alexei.

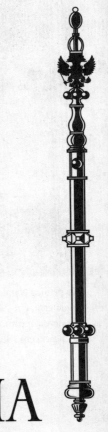

SIBÉRIA

Nicolau e os filhos tomando sol no telhado da estufa da casa do governador, em Tobolsk, na Sibéria.

Enquanto a família imperial aguardava ser mandada para o exílio, voltavam dele revolucionários como Lênin e Trotsky, que começaram a agitar Petrogrado e o Partido Bolchevique contra o Governo Provisório. Durante as chamadas Jornadas de Julho, meio milhão de pessoas marcharam em Petrogrado sob bandeiras vermelhas num protesto contra a continuação da Rússia na guerra. Esse levante, mal preparado, falhou, levando Lênin a fugir para a Finlândia e Trotsky a ser preso. Essa primeira tentativa dos bolcheviques de tomar o governo revelou o risco em manter os Romanovs tão próximos da capital em que eram odiados. Seria difícil continuar garantindo a segurança da família no Palácio de Alexandre.

Alexandre Kerensky, que se tornara presidente do Governo Provisório, acabou por simpatizar com o ex-imperador e sugeriu que ele, a mulher e os filhos estariam mais seguros longe da capital. Nicolau perguntou se poderiam ser levados para a Crimeia, onde sua mãe e outros membros da família já estavam. Outra possibilidade considerada foi o palácio de seu irmão Miguel, em Orel, na Rússia central. Mas ambas as alternativas envolviam cruzar grandes extensões da planície russa onde os camponeses estavam se erguendo contra proprietários de terras. Assim, uma terceira opção foi escolhida, e Kerensky providenciou a transferência de todos para Tobolsk, na Sibéria. Ali, eles ficariam a salvo, distantes das perturbações de Petrogrado.

A família teve apenas dois dias para preparar as malas e decidir quem seguiria com eles na viagem. Entre os escolhidos, estavam algumas damas de companhia e os servidores aristocráticos, os tutores Gilliard e Gibbs e os médicos Botkin e Derevenko. Este último levou a sua família, incluindo o amigo de Alexei, Kolya. Houve tempo o bastante, porém, para que a bagagem incluísse tapetes e quadros, vinhos da adega imperial e pedras preciosas de valor equivalente a 500 mil dólares. Numa necessidade, as pedras seriam muito mais fáceis de vender do que joias. Kerensky escolheu cuidadosamente os soldados que ficariam responsáveis pela guarda dos ex-czares. O grão-duque Miguel foi trazido para se despedir do irmão Nicolau, mas nenhuma outra pessoa da família foi permitida no encontro. A transferência foi tensa, com os soldados recusando-se a levar as bagagens e o trem atrasando devido a ações de ferroviários para desviá-lo. Finalmente, às cinco horas da manhã de 14 de agosto, depois de uma noite insone sem saber a que horas partiriam, os carros que levariam os Romanovs à estação chegaram ao palácio. Era a última vez que eles veriam Tsarskoye Selo.

A viagem durou quatro dias, durante os quais as cortinas tinham que ser abaixadas toda vez que paravam numa estação, para evitar algum incidente contra a família. Nicolau e as crianças só deixavam o trem por meia hora diária, quando a locomotiva parava no meio do caminho em locais no campo, para caminharem um pouco e exercitarem os cachorros que os acompanhavam. A família continuou a viagem de trem até Tiumen, nos Montes Urais, onde desembarcaram para prosseguir percorrendo de barco os trezentos quilômetros que faltavam até Tobolsk. Na estação de trem, foram saudados pelas autoridades militares e observados com curiosidade pela população local. No caminho, passaram por Pokrovskoie, a vila natal de Rasputin. Alexandra viu nisso a realização de uma profecia do *starets*, que havia previsto que um dia ela conheceria o lugarejo. Finalmente, depois da longa viagem, atracaram em Tobolsk, onde a família e parte de seus acompanhantes foram alojados na casa do governador, a maior residência da cidade, rebatizada de "Casa Liberdade". Outros membros da comitiva ficaram numa casa confiscada do outro lado da rua. No primeiro dia, a família de Nicolau atravessou até lá para ver como estavam se instalando, o que levou a protestos dos soldados. Então uma cerca de madeira foi construída em torno da Casa Liberdade. Os Romanovs só tinham permissão de sair para ir à missa numa igreja próxima.

Em Tobolsk, ao contrário de Petrogrado, a maioria da população era simpática ao czar. Faziam o sinal da cruz quando eles passavam e aglomeravam-se a cada vez que uma das grã-duquesas aparecia na sacada da casa. Também enviavam ovos, manteiga e bolos. Por outro lado, soldados leais ao Governo Provisório não paravam de chegar; alguns deles, influenciados pela propaganda contra os ex-czares, eram profundamente hostis a Nicolau e Alexandra.

A família continuava vivendo, tanto quanto podia, da mesma maneira que antes da queda da monarquia. Os criados saudavam-nos

Casa do governador de Tobolsk, na Sibéria, onde
Nicolau, Alexandra e sua família ficaram aprisionados.

como se ainda fossem a família imperial reinante, o cardápio era escrito em cartões com o sinete do czar, e os membros da corte restantes tratavam-se por "sua alteza" ou "sua excelência". A convivência da família com os guardas também foi se tornando, aos poucos, mais amigável. Maria sabia o nome das esposas e dos filhos de cada um, e Alexei era particularmente popular entre eles e costumava sentar-se na casa dos guardas para conversar e jogar. Nicolau exercitava-se num trapézio que levara e conseguiu que enviassem toras de madeira e um serrote para cortar lenha, uma atividade que lhe agradava. Enquanto isso, Alexandra passava o tempo lendo a Bíblia e livros espirituais, além de fazer trabalhos de agulha. Tatiana entretinha-se tocando o piano na sala de visitas, onde podia ser escutada pela mãe.

    Kerensky prometera à família que a transferência para a Sibéria seria provisória e que, em novembro, quando a Assembleia Constituinte se reunisse, eles poderiam voltar para Tsarkoye Selo ou partir para o exílio. Mas, antes que isso ocorresse, uma nova revolução mudou de novo a situação da Rússia e da família imperial.

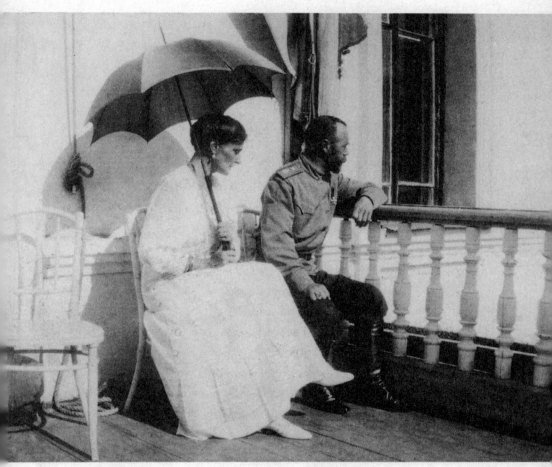

Nicolau e Alexandra no terraço da casa do governador, em Tobolsk, tomando sol.

A REVOLUÇÃO DE OUTUBRO

Lênin proclama o poder soviético no Instituto Smolny, Petrogrado, 1917.
Pintura de Vladimir Serov, 1952.

No final de outubro, Lênin estava mais uma vez em Petrogrado, onde participou de reuniões do Partido Bolchevique, ao qual Trotsky aderira meses antes. Nessas reuniões foi decidida a necessidade de uma nova revolução de caráter socialista. A Assembleia Constituinte se reuniria em 12 de novembro, assim, foi estipulado que deveriam tomar o poder antes dessa data.

Por pressão dos bolcheviques, um Congresso dos Sovietes fora convocado para 7 de novembro (25 de outubro, de acordo com o calendário juliano). Na noite anterior, porém, militantes do partido tomaram sistematicamente pontos estratégicos da cidade, como correios, estações telefônicas, telegráficas e de trem, praticamente sem resistência. A única luta aconteceu no Palácio de Inverno, onde os ministros do Governo Provisório se entrincheiraram. Com a adesão de marinheiros e soldados, o Governo Provisório foi declarado deposto no mesmo dia 7, e o poder passou ao Soviete de Petrogrado. Na prática, os bolcheviques tomavam o controle do país, iniciando o governo comunista que durou até 1991.

De início, Nicolau recebeu as notícias com ceticismo, mas, quando percebeu que Lênin e Trotsky, a quem menosprezava, haviam de fato se estabelecido no poder, pela primeira vez lamentou sua abdicação. A vida da família, porém, não teve nenhuma mudança nesses primeiros tempos. Os mesmos guardas e funcionários permaneceram responsáveis por seu cativeiro, e as tarefas diárias haviam estabelecido uma rotina.

Presos num espaço muito menor que aquele a que estavam acostumados, passavam boa parte do tempo juntos. Com os dias mais frios, Alexandra encontrou distração em tricotar para os filhos e consertar as roupas puídas de Nicolau. Alexei, cuja saúde estava ótima, aproveitou a chegada da neve para andar de esqui com as irmãs no pátio, por trás dos tapumes. Para se distrair, os cinco irmãos, orientados pelos professores Pierre Gilliard e Sydney Gibbs, começaram a montar apresentações teatrais, algumas vezes com a participação do pai. À noite, todos se sentavam próximo da lareira com bebidas quentes, os homens jogando, as mulheres fazendo trabalhos de agulha, enquanto Nicolau lia para eles.

Nicolau e Alexei, em 1917, cortando lenha em Tobolsk.

No Natal, a família reuniu-se com os outros membros da comitiva que os haviam acompanhado. Alexandra e as filhas presentearam a todos e entre si com prendas feitas por elas mesmas, que vinham preparando havia semanas. Tatiana deu à mãe um diário encapado com um tecido lilás, tirado de uma echarpe, e bordado com uma cruz gamada indiana, o símbolo preferido de Alexandra, que, décadas depois, ficaria mundialmente célebre como símbolo do nazismo. Pela manhã, foram à missa, e o sacerdote recitou uma oração tradicional pela saúde da família imperial. Essa parte do rito, porém, havia sido suprimida da liturgia desde a abdicação de Nicolau, e os soldados bolcheviques presentes no local irritaram-se. A partir de então, os Romanovs foram proibidos de sair para a igreja. Os bolcheviques exigiram que o padre fosse preso, mas o arcebispo local, Hermógenes, recusou-se a entregá-lo e mandou-o para um local distante na diocese. Hermógenes também era simpático à família e chegou a pensar em meios de ajudá-los a fugir.

Mas, aos olhos de Alexandra, ele tinha um pecado que o desqualificava para ajudá-los no que quer que fosse: o arcebispo havia sido um dos membros da Igreja Ortodoxa que se voltara contra Rasputin.

Outra pessoa que estava planejando a fuga dos Romanovs era Anna Vyrubova, que ficara em Petrogrado. Ela começou a levantar dinheiro para o resgate e chegou a mandar pessoas para contatar a família na Sibéria, com pouco sucesso. Finalmente, um místico chamado Boris Soloviev, cuja mãe fora discípula de Rasputin, aliou-se ao círculo em torno de Vyrubova. Ele casou-se com a filha do *starets*, Maria, e foi viver em Tiumen, de onde conseguiu enviar mensagens e dinheiro aos Romanovs por intermédio de uma criada. Alexandra confiava tanto em Soloviev que chegou a enviar algumas de suas joias para financiar a fuga. Todas as pessoas interessadas em auxiliar a família passaram a ir diretamente a ele, que a cada vez dava uma desculpa diferente para não iniciar o resgate e, enquanto isso, ia embolsando os fundos. Nenhuma tentativa foi feita, e, mais tarde, a descoberta das cartas enviadas por Soloviev para Nicolau e Alexandra serviu como desculpa para a polícia secreta remover a família de Tobolsk.

Desde o início de 1918, o novo soviete local, ligado ao novo governo de Petrogrado, começou a trazer de fora da cidade homens da chamada Guarda Vermelha, uma organização paramilitar cujo objetivo era defender os ideais revolucionários. Leal aos bolcheviques, a nova guarda substituiu as tropas locais simpáticas à família imperial. O dinheiro para a manutenção dos Romanovs também foi cortado pelo novo regime, e eles tiveram que dispensar uma parte da criadagem e reduzir as refeições ao que podia ser adquirido com cartões de racionamento. Finalmente, também a guarda da Casa Liberdade foi substituída, e aqueles que haviam ficado amigos da família foram mandados embora. Os novos guardas, hostis aos prisioneiros, destruíram um tobogã que a família penosamente havia construído na neve e gravavam palavras e desenhos obscenos onde as grã-duquesas pudessem ver. Para piorar a situação, depois de passar o inverno bem, Alexei machucou-se ao brincar de descer as escadas da casa com o seu trenó e estava de cama com outra crise de hemofilia.

Em março de 1918, o novo governo bolchevique, que havia mudado a capital para Moscou, assinou um tratado de paz com a Alemanha. O Tratado de Brest-Litovsk determinou condições humilhantes para os russos, com a perda de enormes territórios que incluíam a Polônia, a Finlândia, a Ucrânia e a maior parte do Cáucaso. Isso permitiu que o kaiser Guilherme II dedicasse mais atenção ao destino dos primos Romanovs aprisionados na Rússia. Um apelo em favor da família foi enviado a Guilherme por um grupo de monarquistas. Embora o governo alemão não quisesse se indispor com o governo bolchevique defendendo Nicolau, podia reivindicar a segurança das "princesas alemãs em território russo", intervindo em favor não só de Alexandra, mas também de sua irmã Ella e até mesmo das filhas da ex-czarina. Negociações nesse sentido começaram imediatamente.

Nos bastidores, porém, os alemães temiam que o sucesso da revolução socialista se tornasse um exemplo e se espalhasse para a própria Alemanha. Assim, em segredo, começaram a trabalhar para restaurar a monarquia na Rússia. Chegou-se a questionar a validade de Nicolau ter abdicado em nome do filho, e passou-se a cogitar colocar Alexei como um soberano fantoche dos alemães. Até mesmo o irmão de Alix, o duque Ernest de Hesse, teria se envolvido nessas tratativas. O próprio ex-czar, no entanto, negou-se a participar de qualquer esquema nesse sentido, pois considerava qualquer aliança com os alemães uma traição à Rússia.

Em meio a todos esses acontecimentos bombásticos, a única coisa imutável era a indefinição do destino dos Romanovs. Os bolcheviques pensaram em realizar um julgamento público contra o antigo czar em Moscou. Trotsky, o mais inflamado orador do partido, atuaria como promotor e queria que esse julgamento fosse divulgado por rádio, jornal e cinema, transformando o processo num grande evento midiático. Mas outros membros do governo bolchevique eram contra a ideia. Achavam que era mais interessante negociar a liberdade da família com os parentes alemães e ingleses. Enquanto a discussão continuava, decidiu-se retirar a família de Tobolsk. Mais uma vez, eles foram forçados a sair às pressas para um novo destino.

UMA VIAGEM
SEM VOLTA

Parte da família Romanov sendo entregue ao Soviete dos Urais.
Pintura de V. N. Pchelin, 1927.

No início de abril, um personagem misterioso chegou a Tobolsk. Era Vasily Yakovlev, um comissário do Partido Bolchevique enviado de Moscou. Yakovlev era um homem de aparência educada, que, assim que chegou à cidade, apresentou ao soviete local um mandado para que fosse obedecido em todas as suas ordens e foi visitar os Romanovs na Casa Liberdade. Tratando Nicolau por "sua majestade" e desculpando-se a todo momento pelo incômodo, ele vistoriou tudo. O comissário levou consigo um médico, que examinou Alexei, ainda acamado, e perguntou se a família possuía muita bagagem. Isso causou agitação e angústia aos Romanovs, diante da perspectiva de serem transferidos novamente.

Eles estavam certos nas suas impressões. Yakovlev, logo após a visita à família, foi ao soviete local e revelou que a sua missão era levá-los a Moscou. Na época, haviam começado a aparecer rumores nos jornais de que Nicolau seria levado para lá para ser julgado. Mas os sovietes de Ecaterimburgo e Omsk, duas cidades na Sibéria, de lados opostos do cativeiro do czar, disputavam o direito de mantê-lo preso. Os soldados que acompanhavam o comissário acreditavam que ele estava a caminho de Ecaterimburgo, que tinha uma tradição de hostilidade ao czarismo.

Yakovlev, de início, planejava levar toda a família, mas foi convencido de que Alexei não podia ser movido e mudou de ideia. No dia seguinte, voltou à casa e ordenou que Nicolau partisse com ele, sem informar o destino. Porém, Alexandra recusou-se a deixar o marido ir embora sozinho. Decidiu também que levaria uma das filhas, que não poderia ser Tatiana, responsável por cuidar da casa na sua ausência. Maria voluntariou-se, e, em 26 de abril, às quatro da manhã, os três partiram em carroças com Yakovlev e uma pequena comitiva até Tiumen, onde pegariam o trem.

O comissário havia providenciado patrulhas ao longo do caminho, temendo que os batalhões revolucionários dos Urais pudessem tentar atacar e capturar o czar antes de chegarem a Tiumen, mas nada aconteceu. A viagem foi exaustiva, as estradas eram péssimas, e o vento gelado açoitava os viajantes. No segundo dia, passaram por

Pokrovskoie, onde mais uma vez viram a casa de Rasputin, da qual a viúva dele os observou e fez o sinal da cruz. À noite, atingiram o destino e embarcaram no trem. Yakovlev imediatamente telegrafou a Moscou, usando o telegrafista que levara consigo. A mensagem informava que ele estava levando a "bagagem" e perguntava se devia seguir pelo "caminho velho", recebendo uma resposta positiva. Esse código informava que ele estava com Nicolau, a "bagagem", e que o caminho a tomar não era por Ecaterimburgo, como sua escolta esperava, mas sim seguir para Moscou via Omsk.

A disputa entre os sovietes de Omsk e de Ecaterimburgo, entretanto, fora resolvida durante a viagem do grupo até Tiumen. Quando o trem que os levava estava próximo a Omsk, Yakovlev foi informado de que seria preso, pois acreditava-se que ele descumprira ordens. O comissário mandou desatrelar o vagão onde estavam os membros da família imperial e seguiu sozinho na locomotiva para a cidade, onde esperava conseguir novas instruções de Moscou. Em vez disso, foi ordenado a retornar a Tiumen e seguir para Ecaterimburgo. Ele argumentou que enviar a "bagagem" para essa cidade poderia colocá-la em perigo, mas foi inútil: as ordens de levar Nicolau para lá foram confirmadas.

Tempos depois, quando Yakovlev desertou do lado bolchevique e juntou-se ao Exército Branco, que lutava contra o regime socialista, correu o rumor de que, na verdade, a ideia dele era levar os Romanovs para Omsk porque dali poderia despachá-los para Vladivostok e de lá para o exílio. Mas não existem evidências de que esse fosse o caso.

Ecaterimburgo era o grande polo revolucionário da região dos Montes Urais, considerada a capital dos Urais Vermelhos. A cidade, fundada na época de Catarina, a Grande, e levando o seu nome, era um centro minerador, com tradição de levantes, greves e protestos de gerações e gerações de mineradores e operários. Nicolau sabia que estava sendo levado para o olho do furacão.

Uma multidão ameaçadora esperava por ele na estação de Ecaterimburgo, mas o comissário dos Urais, Goloshchekin, conseguiu despistá-los, fazendo os ex-czares desembarcarem na estação de cargas. As autoridades locais assinaram um recibo, e Yakovlev passou a guarda dos Romanovs para elas.

Nicolau, Alexandra e Maria, assim como os antigos servidores da corte que os acompanhavam, foram alojados numa casa que pertencia a um engenheiro chamado Ipatiev e fora reivindicada pelo soviete local. Mais uma vez acontecia a coincidência. Os Romanovs haviam subido ao poder na Rússia com Miguel Romanov sendo escolhido para ser czar, em 1613, e, curiosamente, o convento do qual os boiardos que o elegeram foram retirá-lo chamava-se Ipatiev.

Um dos servidores, porém, o príncipe Dolgoruky, que seguira com eles desde Tsarskoye Selo, foi levado para outro lugar e desapareceu. Acredita-se que tenha sido fuzilado imediatamente. As bagagens foram todas revistadas, e todos foram instalados em quatro cômodos amplos, com um lavatório; para chegar aos banheiros, tinham que passar pela sentinela. A latrina era compartilhada com os soldados da guarda e logo ficou coberta por desenhos indecentes e frases grosseiras grafitadas. As janelas foram caiadas para impedir que vissem o exterior e depois acabaram sendo seladas para que não pudessem ser abertas. Logo ao entrar no quarto, Alexandra desenhou na janela e no papel de parede a cruz gamada, junto com a data da chegada da família pelo "novo calendário", o calendário gregoriano: 30 de abril.

O restante da família uniu-se a eles um mês mais tarde, quando Alexei melhorou o bastante para poder fazer a viagem. Alexandra havia escrito para as filhas dizendo para elas "disporem dos remédios como tinha sido combinado".[24] Esse era um código entre elas a respeito das pedras preciosas, que haviam ficado em Tobolsk e que as três grã-duquesas deveriam costurar dentro de suas roupas e chapéus para que escapassem à revista.

Com toda a bagagem que haviam trazido desde Tsarskoye Selo, a comitiva seguiu de barco até Tiumen e depois foi posta num trem. Olga, Tatiana, Anastácia e Alexei, com o marinheiro Nagorny, o médico Yevgeny Botkin e alguns dos antigos membros da corte, ficaram num

---

24 Apud MASSIE, 1969, p. 464.

Casa Ipatiev, em Ecaterimburgo, antes da chegada dos Romanovs.

vagão, enquanto os demais funcionários foram postos em outro. O trem chegou a Ecaterimburgo na madrugada de 22 para 23 de maio, e apenas os membros do vagão onde estavam os grão-duques foram autorizados a desembarcar. Depois, o cozinheiro, o criado e o ajudante de cozinha foram mandados para a Casa Ipatiev. Os professores Gilliard e Gibbs, a condessa Buxhoeveden, dama da ex-imperatriz, e o médico Vladimir Derevenko, no entanto, foram informados de que estavam livres. Sem ter onde ficar, permaneceram vivendo no vagão por dez dias. Derevenko chegou a obter permissão para entrar na casa e examinar Alexei, que continuou se correspondendo com Kolya, seu amigo. Por fim, o soviete ordenou que eles deixassem a cidade. Os quatro sobreviveram à revolução, bem como a família de Derevenko.

A chegada do restante da família foi motivo de grande alegria para Nicolau e Alexandra, embora isso os obrigasse a acomodar doze pessoas em cinco cômodos: uma sala de jantar, uma sala de estar e três quartos. Havia pouco conforto, e a rotina era controlada. Eles vestiam roupas simples, havia horários rígidos para refeições e banhos de sol, e eram observados o tempo todo. O chefe da guarda era um ex-operário e militante político radical que incitava seus homens a fazer grosserias contra os prisioneiros e saquear suas bagagens. Nagorny, que já vinha se indispondo com os bolcheviques desde Tobolsk para defender Alexei, acabou tendo problemas. Primeiro ele discutiu com os guardas, que queriam que o menino só tivesse direito a possuir um par de botas. O marinheiro insistiu que o garoto tivesse um segundo, para o caso de o primeiro par molhar, já que não podia andar descalço. Depois, teve uma discussão com um dos homens, que queria pegar para si um cordão de ouro no qual Alexei pendurava sua coleção de medalhas religiosas junto à cama. Nagorny acabou sendo preso, levado para a prisão e fuzilado quatro dias depois.

Uma das últimas fotos conhecidas de Alexei e Tatiana em maio de 1918, quando estavam em viagem a Ecaterimburgo para se juntar ao restante da família.

OS ÚLTIMOS DIAS

O fuzilamento da família imperial, capa do *Le Petit Journal*, 25 de julho de 1926.

Sem acesso a notícias do mundo exterior, a família imperial não tinha nenhuma ideia de que, enquanto se adaptavam à rotina da Casa Ipatiev, o governo revolucionário estava ameaçado. Em vários lugares do país, diferentes grupos começavam a pegar em armas contra os soldados favoráveis aos bolcheviques, que passaram a ser denominados Exército Vermelho. A principal força contrária a essa era o Exército Branco, uma mistura de facções que tinham em comum apenas serem antibolcheviques, indo de defensores da autocracia a socialistas mencheviques, de republicanos capitalistas a ex-generais do Exército russo. Era o início da guerra civil que só terminaria em 1920, embora combates esporádicos tenham seguido pelo menos até 1922.

Um dos primeiros lugares onde o Exército Branco se ergueu com sucesso, em junho de 1918, foi Chelyabinsk, nos Montes Urais, a apenas duzentos quilômetros de Ecaterimburgo. Eles começaram a avançar rapidamente ao longo da ferrovia Transiberiana, capturando Omsk e estabelecendo um governo na região da Sibéria. As tropas brancas aproximaram-se de onde a família imperial era mantida prisioneira, e as tropas vermelhas locais não tinham força suficiente para resistir. Isso tornou urgente uma decisão sobre o que fazer com os Romanovs.

Não eram apenas Nicolau, Alexandra e os filhos que estavam nas mãos do Exército Vermelho. Diversos outros membros da família imperial também eram mantidos prisioneiros, entre eles três filhos do grão-duque Constantino e a irmã de Alexandra, Ella, retirada do convento em Moscou onde vivia como freira; todos haviam sido aprisionados e levados para a Sibéria. O grupo chegou a passar algum tempo preso em Ecaterimburgo, mas as irmãs nunca souberam que estavam na mesma cidade. O irmão de Nicolau, Miguel, por sua vez, chegou a ser brevemente detido pelos bolcheviques, mas foi autorizado a mandar a família para fora da Rússia e ir viver em Perm como um cidadão comum. Porém, na noite de 12 para 13 de junho, foi retirado de seu quarto e, junto com o seu secretário, levado a uma floresta, onde ambos foram mortos a tiros. Seus corpos nunca foram encontrados.

No dia seguinte, a família imperial, sem saber de nada, recebeu ordem de fazer as malas e se preparar para ser enviada a Moscou. É possível que a intenção fosse levá-los para serem mortos no caminho, como Miguel. À noite, os Romanovs foram informados de que a transferência demoraria mais alguns dias, mas ela nunca veio. A situação da família no cativeiro não havia sido tão ruim até chegarem a Ecaterimburgo, mas agora as mudanças constantes, a ansiedade e a tensão crescente a que eram expostos afetavam a todos, até mesmo a Alexei, como verificaria um padre que visitou a família nos últimos dias.

No final de julho, Nicolau começou a receber mensagens inseridas nas rolhas das garrafas de leite que chegavam para a família. Os bilhetes, escritos num francês cheio de erros, tratavam de uma possível fuga dos Romanovs. Encorajado por Alexandra, ele respondeu aceitando a ajuda, e foi formado um plano cujo êxito dependia de que uma das janelas da casa estivesse destravada. As janelas, porém, eram mantidas trancadas, até que uma delas começou a ser deixada aberta noite e dia. Nem assim o casal desconfiou da verdade: as mensagens haviam sido plantadas pelos bolcheviques com intenção de provar que a família tencionava fugir. Assim, tinham a desculpa de que precisavam para seguir adiante com o plano de execução dos Romanovs, aprovado pelo Soviete dos Urais pouco depois da chegada deles à cidade. De início, o soviete comunicara-se com Moscou na tentativa de obter aprovação para isso, mas o governo bolchevique ainda flertava com a ideia de um julgamento, e a resposta foi sendo adiada. Então, a troca de mensagens e o plano de fuga, aliados à pressão do Exército Branco e à iminente captura da cidade, selaram o destino da família.

Os homens da guarda dentro da casa foram substituídos em 4 de julho. No lugar dos membros indisciplinados e rudes, alguns dos quais já estavam começando a criar amizade com os prisioneiros, entraram dez homens endurecidos, ligados à Cheka, a polícia secreta bolchevique, e liderados por um ex-relojoeiro chamado Yakov Yurovsky. O soviete enviou uma mensagem para Moscou pedindo autorização para a execução, mas não existe registro de se houve ou não uma resposta.

No domingo, 14 de julho, Yurovsky deu permissão para que a família assistisse a um ofício religioso. Quem oficiou a missa foi o padre Ioann Storozhev, o mesmo que liderara a procissão religiosa que inaugurara o pavilhão erguido pelos Romanovs no túmulo de São Simeão de Verkhoturye, em 1907, quando Rasputin apresentou o santo à família imperial.

O padre Ioann encontrou os Romanovs reunidos esperando por ele. O religioso surpreendeu-se ao ver Alexei crescido, mas pálido pelo confinamento, e observou que os cabelos das meninas, que tinham sido raspados por causa do sarampo no ano anterior, agora já chegavam aos ombros.

Em 16 de julho, o rapaz que ajudava na cozinha foi mandado embora, mas de resto o dia passou normalmente. A família foi para a cama às dez e meia, porém, no início da madrugada do dia 17, eles, o dr. Botkin e alguns dos funcionários foram acordados por Yurovsky, que ordenou que se vestissem para serem transferidos, uma vez que o Exército Branco estava prestes a invadir a cidade. Achando que seria mais uma das viagens para se estabelecer em outro lugar, a czarina, as grã-duquesas e o príncipe herdeiro, Alexei, usavam por baixo das roupas os corpetes e cintos com as pérolas e pedras preciosas costurados. Anastácia levava nos braços um de seus cães, Jimmy.

Onze pessoas, entre membros da família, o médico e criados, foram levadas para um quarto pequeno no subsolo, onde foram alinhadas contra a parede, como se fosse ser batida uma foto da família. Após um pedido dos Romanovs, foram trazidas cadeiras para a czarina e Alexei, que ainda não conseguia andar desde o último ataque de hemofilia e havia sido carregado para baixo pelo pai. Era para eles esperarem ali enquanto o caminhão que iria transportá-los estava sendo preparado. Efetivamente, havia do lado de fora um caminhão com o motor ligado, fazendo barulho. Os guardas que estavam alojados numa casa do outro lado da rua foram avisados para não se alarmarem se ouvissem tiros.

Alguns minutos depois, o comandante Yakov Yurovsky entrou com um pelotão e leu a seguinte nota: "Nicolau Alexandrovich, devido ao fato de os seus familiares continuarem a atacar a Rússia Soviética, o Comitê Executivo dos Urais decidiu levar a cabo a sua execução". Nicolau deu um passo à frente. Segundo uns, teria perguntado "O quê?", segundo outros, teria dito, citando a Bíblia: "Vocês não sabem o

Porão da Casa Ipatiev, onde ocorreu o assassinato dos Romanovs.

que fazem".[25] Yurovsky então ergueu o revólver e atirou em sua cabeça, mas o ódio contra o czar era tão grande que vários outros também dispararam contra ele, e é impossível dizer exatamente quem primeiro o alvejou. Olga e Alexandra tentaram fazer o sinal da cruz, mas não tiveram tempo e logo foram atingidas. Alexandra morreu na hora.

A sala era apertada até para um coquetel, quanto mais para um fuzilamento. Logo o ambiente ficou cheio da fumaça das explosões dos cartuchos, a ponto de bloquear a luz elétrica. Os atiradores estavam tão próximos que as armas de um provocavam queimaduras em outro. Embora eles tenham sido orientados a mirar o coração, as balas ricocheteavam, "pulando pela sala como granizo", segundo Yurovsky se lembraria.[26] O que desviava as balas, sem que os executores soubes-

---

25 RADZINSKY, [199-], p. 471.
26 Ibid., p. 473.

sem, eram as pedras costuradas nos corpetes, que até Alexei usava, e nas almofadas que alguns carregavam. Quando o tiroteio terminou, as grã-duquesas, o médico e uma criada ainda viviam e foram mortos com coronhadas e golpes de baionetas. Alexei também se moveu, e Yurovsky acabou com a vida do herdeiro com um tiro na sua cabeça. A carnificina durou cerca de meia hora.

Então era necessário dar um fim aos corpos, e eles foram carregados em macas improvisadas para os caminhões do lado de fora. Três das grã-duquesas, porém, ainda estavam respirando, e novamente as baionetas foram usadas. Alguns dos soldados começaram a retirar dos corpos os pertences de valor, mas Yurovsky ordenou que tudo fosse devolvido.

Os corpos dos Romanovs e dos empregados foram levados para uma mina na floresta Koptyaki, com o auxílio de outro grupo de bolcheviques, que os esperava no caminho. Quando chegaram à mina, já estava amanhecendo, e teve início um ritual macabro de despir os cadáveres, recolher as joias e os nove quilos de pedras preciosas costurados nos corpetes, queimar as roupas e depois jogar os corpos lá dentro. Yurovsky tentou derrubar o teto da mina com granadas para escondê-los, mas não conseguiu. Os objetos retirados dos corpos foram enterrados numa cidade próxima, Alapaevsk, recuperados em 1919 e então enviados para Moscou. No dia seguinte ao massacre, em Alapaevsk, os outros Romanovs aprisionados, incluindo Ella, também foram assassinados.

Devido à bebedeira de alguns dos participantes do massacre da Casa Ipatiev, não parecia ser segredo em Ecaterimburgo nem que os Romanovs haviam sido mortos, nem para onde os corpos haviam sido levados. Yurovsky e alguns de seus homens de confiança voltaram então naquela noite à mina, recuperaram os restos mortais e tentaram chegar a uma outra mais distante, mas o caminhão atolou no caminho, então decidiram enterrá-los na floresta. Para não levantar suspeitas caso os cadáveres viessem a ser encontrados logo, tentaram queimá-los, mas, como isso não funcionou bem, colocaram os corpos numa vala e banharam-nos em ácido antes de enterrá-los. Foi nesse segundo momento que se optou por usar uma segunda cova, algumas dezenas de metros afastada, na qual depositaram Alexei e Maria. As valas foram cobertas com terra, cal e tábuas, e os soldados passaram várias vezes com o carro por cima para retirar os rastros. Considerando o tempo que se passou até que todas as peças fossem encaixadas, a execução do plano foi bem-sucedida, com o local do sepultamento e o real destino da família permanecendo em segredo por seis décadas.

A execução de Nicolau foi publicamente anunciada pelo Soviete dos Urais em 20 de julho. Telegramas de agências de notícias informavam que, diante da descoberta de "uma conspiração contrarrevolucionária em Ecaterimburgo, visando o rapto do ex-czar, o Conselho Regional do Ural resolveu fuzilar o antigo imperador".[27] O restante da família, segundo os jornais informavam, tinha sido levado para "um local seguro". Trotsky, ocupado em derrotar o Exército Branco, ficou furioso, pois ainda esperava levar Nicolau a julgamento.

Os brancos tomaram Ecaterimburgo cinco dias mais tarde e imediatamente se dirigiram à Casa Ipatiev na esperança de resgatar a família, mas ao chegarem lá não encontraram ninguém. No andar superior da casa abandonada, embora não houvesse roupas ou documentos, restavam diversos pertences dos Romanovs, como a cadeira de rodas de Alexandra, livros, uma caixa com os cabelos das grã-duquesas e os pequenos ícones de São Simeão de Verkhoturye que Rasputin dera aos membros da família imperial em 1906. Ao descerem para o porão, notaram que o local havia sido lavado, mas havia marcas de balas por todos os lados, e ficou óbvio que uma execução ocorrera ali. Restava saber de quem e onde estariam os corpos.

Nikolai Sokolov, um investigador legal, foi designado pelos brancos para descobrir o que acontecera. Ele chegou a encontrar botões e joias na mina para onde os corpos tinham sido levados primeiro. Uma análise posterior do local revelou um pedaço de dedo, que seria de Alexandra, medalhas religiosas e o cadáver do cão Jimmy, mas nenhum corpo humano foi encontrado.

---

27 "100 anos do fuzilamento do último czar da Rússia", 2018.

Alguns dos guardas da casa foram presos. Um deles salvara o cão favorito de Alexei, Joy, que mais tarde foi levado para a Inglaterra. A conclusão de Sokolov foi que não só Nicolau, mas todas as onze pessoas que estavam na casa haviam sido mortas, e seus corpos, cremados sem deixar vestígios. O investigador era um monarquista que pode ter sido tendencioso na condução da investigação: há indícios de que deixou de fora de seu relatório tudo que não se encaixava nas suas conclusões. Mas ele nunca parou de procurar indícios. Mesmo depois que os soviéticos retomaram a região e ele teve de se exilar na França, continuou pesquisando e entrevistando inúmeras testemunhas, até sua morte, em 1924. Seu relatório foi publicado em Paris no mesmo ano.

Somente em 1919 o governo soviético admitiu que o restante da família de Nicolau havia sido morto, ainda que colocassem a responsabilidade pela execução no Exército Branco. Mesmo assim, muitos dos Romanovs, como a imperatriz viúva Maria Feodorovna, recusaram-se a acreditar e achavam que ao menos as grã-duquesas um dia apareceriam. O mistério só seria resolvido depois do fim da União Soviética.

Foto das buscas pelos corpos dos Romanovs na mina em que foram colocados inicialmente. A foto foi tirada durante as investigações de Nikolai Sokolov, *circa* 1918.

O FIM DO MISTÉRIO

Retrato oficial da família imperial russa tirado no tricentenário da dinastia, em 1913.

Quando Alexander Avdonin e Geli Ryabov encontraram o local de sepultamento da família imperial, em 1979, o período não era o mais indicado para se revelar a localização dos corpos publicamente. O governo soviético estava nas mãos do linha-dura Leonid Brezhnev, que, apesar de ter flexibilizado as relações da União Soviética com os países capitalistas, atuou contra qualquer reforma política interna. Os dois prometeram guardar segredo e, se necessário, passar a informação para a próxima geração, de maneira oral, para que um dia, quando o ambiente político fosse mais propício, a descoberta fosse então revelada.

Dez anos depois, em outro contexto político vivido pela União Soviética, a informação finalmente se tornou pública. Em 10 de abril de 1989, o jornal *Moscow News* saiu com uma matéria impressionante: era uma entrevista de Ryabov revelando a descoberta que ele e Avdonin haviam feito na década anterior. Rapidamente, todos os grandes jornais ocidentais repercutiram a notícia. Ryabov já havia tentado chamar a atenção do líder Mikhail Gorbachev para o assunto, achando que o momento político era favorável para se revisitar o passado. Gorbachev fora o responsável pela abertura política da União Soviética, que acabaria causando o fim do Estado soviético e seu desmantelamento em diversas repúblicas autônomas.

Em 1991, Boris Yeltsin foi eleito presidente da Rússia. Ele nasceu na região de Sverdlovsk, que na época do fuzilamento da família imperial se chamava Ecaterimburgo e que voltaria a ter esse nome em 4 de setembro de 1991. Durante o seu mandato como governador da região, a Casa Ipatiev, onde a família imperial havia sido fuzilada em 1918, fora demolida sob a alegação de "falta de interesse histórico"; no entanto, como presidente da Rússia, pouco após a sua posse, ele mandou técnicos forenses estudarem os restos mortais descobertos.

Cinco dos sete Romanovs desaparecidos, mais os restos mortais do médico da família e de três criados, foram exumados. A descoberta dos corpos do czar Nicolau II, da czarina Alexandra e das filhas Olga, Tatiana e Anastácia daria fim ao mistério que rondava o paradeiro da família imperial russa desde a noite de sua execução. A confirmação da identidade não foi simples: para fazer os testes de DNA, foi necessário recorrer a familiares, como o duque de Edimburgo, Philip Mountbatten, marido da rainha Elisabete II da Inglaterra, sobrinho-neto de Alexandra e primo distante de Nicolau.

Mesmo assim, faltavam algumas peças nesse intrincado quebra-cabeça. Os restos mortais de dois membros da família – o czaréviche e uma das irmãs – só seriam encontrados em 2007, quando foi descoberta a cova separada onde Alexei e Maria foram enterrados.

Durante a Revolução Russa e a Guerra Civil, que durou de 1918 até 1920, outros membros da família imperial que não conseguiram fugir da Rússia tiveram sua sorte ditada pelos bolcheviques e acabaram executados. No total, dezoito Romanovs foram mortos. Além de Miguel e Ella, irmãos de Nicolau e Alexandra, tios, primos e sobrinhos do imperador também foram assassinados. A mais terrível dessas execuções foi a de Alapaevsk, onde, além da grã-duquesa Ella, cinco outros membros da família e mais uma freira e um criado foram atirados numa mina parcialmente submersa. O grão-duque Sérgio Mikhailovich tentou protestar e foi morto com um tiro, mas os demais ainda estavam vivos quando granadas e toras em chamas foram lançadas sobre eles. Mesmo assim, hinos e preces foram ouvidos por muito tempo antes que todos morressem, em consequência tanto dos ferimentos quanto de fome e de sede.

Esses assassinatos eram uma forma de os bolcheviques impedirem qualquer hipótese de retorno do regime czarista. Nada personificava o sistema como o próprio czar. Eliminá-lo, assim como a seus herdeiros e parentes, significava não permitir que uma bandeira viva dos antigos modos caísse nas mãos das forças contrárias aos bolcheviques. Ao mesmo tempo, o terror vermelho que dizimou não apenas os Romanovs, mas membros da nobreza e aristocracia, implicava os combatentes vermelhos em todos esses crimes, tornando-os cúmplices e transformando assim a luta pela revolução numa luta pela sobrevivência dos envolvidos nos massacres.

Sem corpos que comprovassem o que de fato havia acontecido, o enigma acerca do paradeiro das mulheres e do jovem Alexei permeou por muito tempo a imaginação popular. Especulou-se que Tatiana, na época com 21 anos, teria ido para a Inglaterra e se casado com um soldado; Alexei teria passado o resto da vida na União Soviética, onde teria morrido após a Segunda Guerra Mundial. Mas o rumor que tomou maiores proporções envolvia a figura da princesa Anastácia.

Diziam que ela, na época com 17 anos, havia conseguido fugir do massacre, com a ajuda de um dos soldados, e passara a viver como uma plebeia. Alguns filmes foram produzidos sobre o tema, sendo o mais famoso *Anastasia, a princesa esquecida*, que rendeu a Ingrid Bergman o Oscar de melhor atriz em 1957. Em 1997, seis anos após a divulgação de que os restos da princesa haviam sido encontrados, a Fox Animation Studios lançou uma animação digna de contos de fadas, dando vida a um dos muitos boatos: Anastácia, com amnésia, vai parar num orfanato, volta a São Petersburgo anos depois de seu desaparecimento e parte numa aventura para reencontrar a sua avó, que mora no exílio em Paris.

De parecido com a realidade, o filme aponta para o grande número de mulheres que se apresentaram como "a princesa perdida". O caso mais famoso de uma pretensa Anastácia foi o de Anna Anderson. Ela apareceu nos anos 1920 em Berlim e chegou a convencer diversos membros da nobreza russa no exílio e pessoas próximas à família imperial, como os filhos sobreviventes do médico da família, o dr. Botkin. Quando ela morreu, em 1984, nos Estados Unidos, sem conseguir o reconhecimento do parentesco na justiça, a verdade sobre os corpos encontrados ainda não tinha vindo à tona. Ela está enterrada no cemitério do palácio dos duques de Leuchtenberg, parentes dos Romanovs, na Baviera, Alemanha. Na realidade, a sra. Anderson, segundo exames de DNA realizados, era uma polonesa chamada Franziska Schanzkowska.

Nicolau, Alexandra e os cinco filhos foram canonizados em 1981 como neomártires pela Igreja Ortodoxa Russa no exterior, um ramo autônomo da Igreja Ortodoxa que rejeitou a autoridade do patriarca de Moscou até 2007. Para esse ramo, por ter sido chefe espiritual da Igreja Ortodoxa, Nicolau fora sacrificado por causa de sua fé, e isso era prova de sua santidade. Junto com eles, também viraram santos Ella; todos os outros Romanovs executados, exceto um; quatro servidores que estavam com a família de Nicolau, mais duas damas de companhia que foram assassinadas mais tarde; e a freira e o criado mortos em Alapaevsk. Desses agregados, dois não eram nem mesmo ortodoxos; apesar disso, o grão-duque Nicolau Mikhailovich foi excluído por ter ligações com a maçonaria.

A Igreja Ortodoxa Russa propriamente dita reconheceu em 1992 apenas Ella e a freira Varvara, morta junto com ela, como neomártires. Depois de muito debate, Nicolau, Alexandra e os filhos foram também canonizados, mas como portadores da paixão, ou seja, pessoas que encararam a morte com resignação. A evidência disso seria o sinal da cruz feito por Alexandra e Olga antes de morrerem. Em 2016, o dr. Botkin foi adicionado à lista de santos, o único dos servidores executados a ser reconhecido por esse ramo.

Hoje, no local onde ficava a Casa Ipatiev, foi erguida a Igreja no Sangue, onde todo dia 17 de julho se celebra uma missa, seguida de uma procissão até Ganina Yama, o primeiro lugar onde os corpos dos Romanovs foram depositados após a sua morte. Em 2001, foi construído, próximo da mina, o monastério dos Sagrados Portadores da Paixão Imperiais, e posteriormente foram erguidas ao redor sete capelas, uma para cada um dos membros da família. O local onde os corpos foram reenterrados em julho de 1918 e recuperados em 1991, a aproximadamente sete quilômetros dali, é marcado por uma cruz negra e uma placa de mármore.

As ossadas da família imperial, após examinadas, foram sepultadas junto aos outros czares na Catedral de São Pedro e São Paulo, em São Petersburgo, em julho de 1998, ao se completarem oitenta anos de suas mortes. Até o início de 2021, os restos mortais de Alexei e Maria, acondicionados em caixas num laboratório, ainda aguardavam o momento de se reunirem ao restante da família.

OS
SOBREVIVENTES

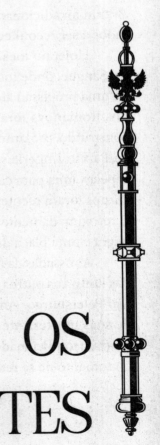

As irmãs sobreviventes de Nicolau, a grã-duquesa Olga, à esquerda, e a grã-duquesa Xênia, à direita, *circa* 1920.

Embora os bolcheviques tivessem como intento, ao assassinar Nicolau, Alexandra e seus filhos, não deixar vivo nenhum Romanov que pudesse herdar o trono, diversos membros da família conseguiram escapar. Dos 53 familiares que viviam na Rússia na época da revolução, 35 sobreviveram. Grande parte dos homens da família acabou perdendo a vida durante a revolução, mas o príncipe Félix Yussupov e o grão-duque Dimitri – os assassinos de Rasputin –, assim como os grão-duques André, Nicolau Nicolaievich e Sandro, o cunhado de Nicolau, estavam entre os que seguiram para o exílio.

As mulheres, de modo geral, tiveram mais sorte e demonstraram possuir uma grande determinação para sobreviver. Exemplos de mulheres fortes na família não faltavam, pouco importava se eram Romanov de nascimento ou por casamento. Esse foi o caso de Catarina, a Grande, alemã de nascimento, que se tornou uma das maiores imperatrizes da Rússia e serviu como símbolo para as sobreviventes Romanovs séculos depois.

Uma dessas sobreviventes foi a mãe do czar Nicolau II, a imperatriz viúva Maria Feodorovna. Ela só abandonaria a Rússia em abril de 1919, quando Yalta, na Crimeia, onde se encontrava, foi evacuada diante da investida do Exército Vermelho. Seu sobrinho, o rei britânico Jorge V, enviou um encouraçado, o *HMS Marlborough*, para resgatá-la; não salvara os primos, mas tentava se redimir salvando a tia.

Não que a tia "Minnie", de 72 anos, desejasse ser salva. A imperatriz viúva, contrariada, só abandonou a Rússia devido aos apelos de sua irmã na Inglaterra e do comandante do encouraçado, que tinha ordens diretas de Jorge V para protegê-la. Ao descobrir que só havia lugar para ela e seus parentes próximos, recusou-se a embarcar se todos os demais aristocratas e servidores que queriam deixar a cidade não fossem evacuados. Isso obrigou o almirantado aliado, baseado em Sebastopol, a enviar diversos navios para o resgate. Depois de uma passagem por Londres, voltou à sua Dinamarca natal, onde ocupou uma ala do palácio de seu sobrinho, o rei Cristiano X. Este não suportava a tia e vivia discutindo com Maria por causa de dinheiro. A dignidade

A imperatriz viúva Maria Feodorovna no tombadilho do *HMS Marlborough*, em abril de 1919, deixando a Rússia. Ao fundo, ainda se vê o porto de Yalta, na Crimeia.

da velha imperatriz foi salva pelo rei da Inglaterra, que determinou uma pensão de 10 mil libras para a "querida tia Minnie", que faleceu aos 80 anos, em 1928, sem acreditar nos "boatos" relativos à morte dos filhos, nora e netos. Seu corpo foi levado para a Rússia em 2006 e hoje está sepultado junto com o do marido e do restante da família na Catedral de São Pedro e São Paulo.

Assim como a mãe de Nicolau II, as irmãs dele, as grã-duquesas Xênia e Olga, também conseguiram escapar da Rússia. Xênia era casada com o primo, o grão-duque Alexandre, apelidado de Sandro, que esteve no Rio de Janeiro em 1880. Em suas memórias, publicadas já no exílio, ele ainda se lembrava com saudades do Brasil. Xênia chegou com a mãe à Inglaterra, onde acabou se instalando graças à boa vontade do seu primo, o rei Jorge V, que lhe cedeu "de graça e favor" uma das residências da Coroa. Sempre dependente dos ricos Windsors, faleceu na Inglaterra aos 85 anos, em abril de 1960.

Olga, a caçula de Maria Feodorovna e do czar Alexandre III, após o seu desastrado casamento com o duque Pedro de Oldemburgo, conseguiu em 1903 ter essa união anulada e casou-se com o coronel Kulikovsky. Ao contrário de sua mãe e sua irmã, ela permaneceu na Rússia com seu marido e os dois filhos, Tikhon, nascido em agosto de 1917, e Gury, em abril de 1919. Como era a última Romanov, filha e irmã de imperadores, ainda em solo russo, elementos do Exército Branco tentaram proclamá-la imperatriz, o que ela elegantemente recusou. Em novembro de 1919, iniciou seu exílio, indo primeiro para a Bulgária, até que sua mãe pediu-lhe que se juntasse a ela na Dinamarca. Segundo o escritor e historiador russo Constantine Pleshakov, Olga e sua família compraram uma fazenda nos arredores de Copenhague, onde viveram até 1948.

A Dinamarca havia sido ocupada pela Alemanha nazista durante a Segunda Guerra Mundial. Olga, durante a ocupação, chegou a receber em sua propriedade diversos oficiais nazistas, sobretudo antigos militares do exército imperial russo que passaram a servir no Exército alemão por ver na disputa entre a Alemanha e a Rússia uma chance de retorno ao seu país natal. Com o final da guerra, a grã-duquesa

A grã-duquesa Xènia, em 1925.

acabou auxiliando alguns oficiais a seguir para fora da Europa, rumo ao Chile e à Argentina.

Com a invasão da Alemanha pelos soviéticos, os dinamarqueses passaram a ter o Exército russo em sua fronteira. Olga, pouco se importando com esse fato, ainda tentou intervir na ordem de Stálin para repatriação dos militares russos que haviam lutado ao lado dos alemães. Em Lienz, na Áustria, segundo Pleshakov, os britânicos mantinham um campo de prisioneiros com 50 a 60 mil russos, dos quais 1.430 eram ex-oficiais e soldados exilados do extinto exército imperial, que não eram soviéticos. Mesmo apelando para o seu primo, o príncipe Axel da Dinamarca, todos foram enviados para a Rússia, onde seriam mortos por ordem de Stálin.

Com a campanha que armou, Olga só conseguiu de concreto chamar a atenção do regime soviético para si. Em 1948, um alegado desertor do país foi procurar trabalho e abrigo na fazenda da grã-duquesa, que o acolheu. Algum tempo depois, ele dirigiu-se à embaixada soviética em Copenhague e denunciou-a por mantê-lo à força na Dinamarca. O governo soviético protestou ao governo dinamarquês. Era o início da Guerra Fria e, temerosos, os dinamarqueses solicitaram que Olga se retirasse de seu território. Após vender sua propriedade, ela dirigiu-se com a família para a Inglaterra, onde, devido ao seu rumoroso envolvimento na defesa de um corpo do exército nazista, mesmo que formado por russos exilados, não foi muito bem-vinda. A Scotland Yard contatou um agente britânico em Ontário para sondar a respeito do envio de sua alteza imperial para o Canadá, que acabou sendo o seu último local de exílio. Olga faleceu ali em novembro de 1960, aos 78 anos.

Uma outra mulher Romanov que se destacou foi a princesa Iskander-Romanov, Natália Androsova. Tataraneta do czar Nicolau I, ela nasceu em Petrogrado, em 5 de fevereiro de 1917. Durante a revolução, a família de Natália resolveu partir para Tashkent, capital do Uzbequistão, na Ásia Central, na época pertencente ao Império Russo. Lá vivia o seu avô paterno, o grão-duque Nicolau Constantinovich, que fora exilado para essa cidade depois de ter sido envolvido por sua

A grã-duquesa Olga com o marido, o coronel Nikolai
Kulikovski, e os filhos Tikhon e Gury, década de 1920.

amante americana, Fanny Lear, no roubo de diamantes que pertenciam à mãe dele. Os pais de Natália acabaram por se separar: ele partiu para combater no Exército Branco, e a esposa e o casal de filhos permaneceram em Tashkent. Com a morte do velho grão-duque Nicolau e o fim da Guerra Civil, a mãe de Natália, dando o marido por morto em batalha, devido à falta de informações, acabou indo com os filhos para Moscou. Lá se casou novamente e mudou o sobrenome das crianças para o do marido, Androsov.

Os dois únicos membros da família imperial que restaram na Rússia passaram a morar no bairro Arbat, à sombra do velho Kremlin, num apartamento no porão de um prédio. Natália cresceu sabendo de suas origens: sua mãe não fazia questão alguma de esconder, e fotos da família imperial jaziam em estantes e aparadores. Ao contrário da mãe, somente aos amigos mais íntimos a jovem revelava a sua verdadeira identidade. Alta, esbelta, com diversas características dos Romanovs, tinha as feições finamente esculpidas, olhos azuis brilhantes, longos cabelos loiros e um sorriso cativante.

Natália escolheu uma profissão um tanto incomum para uma princesa: motociclista profissional. Entrou para o clube atlético Dynamo, onde se tornou uma proeminente piloto de moto. Em 1939, um mecânico do clube tentou chantageá-la: se ela não dormisse com ele, revelaria à polícia secreta soviética que ela era uma Romanov. A resposta de Natália foi um estridente tapa no rosto do homem. Retornando para casa, queimou papéis familiares que poderiam comprometê-la e tomou a resolução de mudar de clube, indo para o Spartak. Mas, em algumas semanas, agentes soviéticos convocaram-na para prestar depoimento na Lubianka, a sede da polícia secreta em Moscou. Natália, segundo os agentes, só tinha duas opções: ser morta imediatamente ou transformar-se numa agente secreta. Com o codinome de Lola, ingressou na polícia secreta de Stálin.

Durante a Segunda Guerra Mundial, que na Rússia ficou conhecida como "Grande Guerra Patriótica", ela foi a encarregada da brigada de incêndio do seu bairro. Ajudava a recolher as bombas incendiárias jogadas pelos alemães e usava areia para neutralizar as

A princesa Iskander-Romanov, Natália Androsova, um dos poucos membros da família imperial a continuar na Rússia.

explosões. Também trabalhou como mensageira motorizada, utilizando sua experiência com motos. A partir de 1942, retomou a sua carreira de motociclista, encerrada apenas em 1964. Viajou por toda a União Soviética apresentando-se em circos com um número de motociclismo chamado "Voo Destemido". Nem sempre a apresentação dava muito certo, e às vezes ela passava um tempo hospitalizada curando os ossos quebrados. Constantine Pleshakov, que a conheceu em Moscou, recorda-se dela como "um espírito livre, uma rebelde, uma mulher excepcionalmente resistente, forte e carismática".[28] Natália faleceu em Moscou, em julho de 1999.

Uma outra mulher da família que escapou foi Maria de Leuchtenberg. Maria nasceu em São Petersburgo em 3 de junho de 1907 e era filha do conde Nicolau Leuchtenberg, príncipe Romanovski. Ele era neto da grã-duquesa Maria Romanov, filha do czar Nicolau I, e de Maximiliano, duque de Leuchtenberg, irmão da segunda esposa do imperador d. Pedro I do Brasil, a imperatriz Amélia de Leuchtenberg.

Maria casou-se em Paris, em 19 de maio de 1929, com o conde Nicolau von Mengden-Altenwoga, nascido em São Petersburgo em 1899. Mengden trabalhou como ilustrador na França, carreira que continuou seguindo quando se mudaram para o Brasil. Ele faleceu em São Paulo, em 16 de abril de 1973. Em 1980, para celebrar o 150º ano do aniversário de casamento de d. Pedro I com d. Amélia, a Pinacoteca do Estado de São Paulo realizou uma exposição chamada *Pedro e Amélia: amor e fidelidade*. A condessa Maria von Mengden-Altenwoga emprestou para a exibição um laço de platina e brilhantes com um coração de turmalina rosa que pertencia a ela. Segundo a tradição familiar dos Leuchtenbergs, o laço teria sido um presente do imperador d. Pedro para d. Amélia e acreditava-se que um dia deveria retornar ao Brasil. Maria esteve presente na cerimônia fúnebre que trouxe os restos mortais da imperatriz à Cripta Imperial do Monumento da Independência, no

---

28 Entrevista ao autor, 2015.

bairro do Ipiranga, em São Paulo, em 1982. Ela faleceu nessa mesma cidade, em 6 de dezembro de 1992, aos 85 anos de idade.

Gilliard, Gibbs, Derevenko e a baronesa de Buxhoeveden, os quatro membros da comitiva do czar que foram impedidos de entrar na Casa Ipatiev, em Ecaterimburgo, sobreviveram à revolução. Eles receberam ordens dos bolcheviques de deixar o distrito e retornar a Tobolsk, mas o levante dos brancos na região e o uso militar das linhas de trem adiaram a sua partida. Pierre Gilliard chegou a pedir permissão para continuar junto com os Romanovs e ser admitido na Casa Ipatiev, mas foi recusado pelo soviete. Finalmente, em 3 de junho, eles conseguiram entrar num trem que os levou a Tiumen, onde ficaram até a cidade ser capturada pelo Exército Branco, em 20 de julho. Com a tomada de Ecaterimburgo pelos brancos, eles retornaram para lá, onde Gilliard auxiliou na investigação da morte dos Romanovs e casou-se com a antiga babá de Anastácia, Alexandra Tegleva. O outro médico de Alexei, o dr. Derevenko, instalou-se com a família em Ecaterimburgo, onde abriu um consultório.

Com o avanço do Exército Vermelho de volta à área, no início de 1919, os quatro foram obrigados a sair da cidade. Derevenko e sua família mudaram-se várias vezes, seguindo o recuo dos brancos, até se instalarem em definitivo em Tomsk, onde ele se tornou chefe do hospital militar. Acabou preso e morto durante o Grande Expurgo stalinista, em 1936. Seu filho Kolya fugiu para a República Tcheca e dali para o Canadá, onde fez carreira como engenheiro e morreu em 1999, aos 93 anos.

Os dois professores e a baronesa conseguiram viajar num trem militar britânico ao longo da Transiberiana até Vladivostok. De lá, Buxhoeveden e Gilliard puderam, em momentos diferentes, chegar à Europa via Estados Unidos. A baronesa acabou por se instalar em Londres, onde serviu à irmã mais velha de Alexandra, Vitória, marquesa de Milford Haven, até sua morte em 1954. Gilliard retornou à Suíça e tornou-se professor da Universidade de Lausanne, onde morreu em 1962. Ambos publicaram livros a respeito de suas experiências com os Romanovs e com a Guerra Civil russa.

Gibbs, por sua vez, estabeleceu-se na China, trabalhando na embaixada britânica e mais tarde como agente alfandegário em Harbin, onde havia um grande número de refugiados russos. Lá, converteu-se à ortodoxia russa e tornou-se padre, adotando o nome de Nicolau. Em 1937, retornou à Inglaterra, sendo vinculado à igreja ortodoxa de São Filipe, em Londres. Mas, durante a Segunda Guerra Mundial, deixou a cidade e foi viver em Oxford. Ali criou a Comunidade de São Nicolau, o Milagroso, em torno da capela que construiu na sua própria residência. Nessa capela, o arquimandrita Nicolau criou um santuário em memória da família imperial assassinada. Depois de se retirar do sacerdócio, em 1959, ele foi morar em Londres, onde morreu quatro anos depois.

Outro que também escapou pela mesma rota foi Joy, o cão cocker spaniel de Alexei. Ele fugiu da Casa Ipatiev na confusão que antecedeu a execução e foi encontrado por um soldado vermelho, que cuidou dele até a chegada dos brancos a Ecaterimburgo. Idoso e quase cego, Joy costumava escapar para ir até a casa, ainda procurando pelos donos, e acabou resgatado por um soldado russo que conhecia a família e servia na Força Expedicionária Britânica. O soldado levou o cão consigo primeiro para Omsk, onde Joy reconheceu Buxhoeveden pelo cheiro, e depois para a frente de batalha, até ser evacuado com os britânicos para a Inglaterra. Lá, os dois foram viver em Windsor, próximo ao castelo, mas Joy nunca recuperou a vivacidade. Esteve sempre um pouco deprimido e traumatizado até morrer, nos anos 1920. Foi enterrado no jardim, onde foi colocada uma lápide: "Aqui jaz Joy".

Após a queda da União Soviética, os Romanovs finalmente puderam retornar do exílio. Durante a década de 1990, experimentaram uma fase de grande popularidade na Rússia do presidente Boris Yeltsin. Nos dias de hoje, uma mulher Romanov reivindica seu direito ao trono. É a grã-duquesa Maria Vladimirovna, neta do grão-duque Cirilo, primo do czar Nicolau II, que conseguiu escapar da revolução e, no exílio, se autoproclamou czar de Todas as Rússias. A mãe dela, a grã-duquesa Leonida Georgievna, uma mulher cheia de energia e determinação, conseguiu sozinha que o governo russo, na época de

Alexei e o seu cocker spaniel Joy. Palácio de Alexandre, Tsarskoye Selo, 1914.

Yeltsin, reconhecesse o seu ramo da família como o herdeiro legítimo ao trono. Isso desgostou outros pretendentes Romanovs, principalmente os descendentes da grã-duquesa Xênia, irmã do último czar. Maria tem sido bastante ativa na causa monarquista e em 2008 conseguiu que a Suprema Corte russa reabilitasse Nicolau e sua família, reconhecendo-os como vítimas do regime comunista.

Porém o historiador Constantine Pleshakov é enfático sobre a Rússia voltar a ser uma monarquia:

> Para todos os efeitos, o presidente russo, Vladimir Putin, já age como um autocrata. Não apenas porque ele se colocou acima de qualquer lei: existe na Rússia uma espécie de "adoração" a Putin normalmente reservada para monarcas. Esse culto é apenas parcialmente um produto do regime dele e sua máquina de propaganda. A "adoração" vem de baixo também – mais uma vez, algo orgânico numa monarquia, não para uma república ou oligarquia.[29]

Quer a Rússia torne-se de novo uma monarquia algum dia e os Romanovs voltem ao poder ou não, a verdade é que Nicolau, Alexandra e seus filhos sempre estarão no imaginário popular como um conto de fadas que se transformou em tragédia.

Há um culto a eles, não apenas religioso, mas na cultura popular, que se reflete por meio de filmes, desenhos, livros, bonecas, réplicas de ovos Fabergé e milhares de fotos e filmes de época. Uma legião de fãs ardorosos, pacientemente, e muitas vezes apaixonadamente, colorizam as imagens da família na tentativa de trazê-la à contemporaneidade para aproximá-la das suas realidades. Anastácia ressurge com seu sorriso traquina, Olga olha apaixonada para o seu exibido primo Dimitri, os jovens noivos Nicolau e Alexandra trocam beijos, e as crianças aparecem num filme andando pelo tombadilho do iate da família. Essas recordações desse mundo desaparecido trazem consigo a ilusão e a fantasia de um conto de fadas que não teve um final feliz.

---

29 Entrevista ao autor, 2015.

A aparente felicidade dos Romanovs nessas imagens revela um pai de família extremamente carinhoso e presente, mas não mostra o czar inseguro e vacilante com dificuldade para tomar decisões, nem a tragédia do herdeiro hemofílico e de uma mulher desesperada para cumprir o papel que a sociedade lhe havia destinado. A esposa apaixonada transformou-se na mãe que, aos olhos dessa mesma sociedade, falhou ao dar à dinastia mais poderosa do mundo um filho doente e sem muitas perspectivas de chegar à vida adulta. Se poucas pessoas tinham conhecimento do segredo da hemofilia, Alexandra, mais do que ninguém, sabia e cobrava-se pela doença de Alexei. Já disseram que, se não houvesse hemofilia, não haveria Rasputin, e sem ele não haveria revolução. É uma ideia simplista, por um lado, mas que por outro mostra como o drama íntimo da última família imperial russa pode ter ajudado a difamá-la e a alimentar a propaganda contrária ao regime.

A tragédia dessa família é parte da tragédia de todo um povo, conflagrado numa guerra fratricida. O fracasso da experiência social de um regime que acabou por se revelar tão corrupto, sangrento e despreparado quanto o czarismo pode ser a chave para se entender por que o saudosismo de uma era repleta de pompas, luxos, joias e riquezas incalculáveis povoa, até hoje, o sonho das pessoas.

Referências bibliográficas

BATISTA, Liz. "100 anos do fuzilamento do último czar da Rússia". *O Estado de S.Paulo* [on-line], 21. jul. 2018. Disponível em: <http://m.acervo.estadao.com.br/noticias/acervo,100-anos-do-fuzilamento-do--ultimo-czar,70002409099,0.htm>. Acesso em: 11 maio 2021.

BUXHOEVEDEN, Baroness Sophie. *The Life and Tragedy of Alexandra Feodorovna*. Londres: Longmans, Green and Co., 1928.

CARTER, Miranda. *Os três imperadores*. Rio de Janeiro: Objetiva, 2013.

EAGER, Margaret. *Six Years at the Russian Court*. Londres: George Bell and Sons, 1906.

ERICKSON, Carolly. *Alexandra, a última czarina*. Lisboa: Alêtheia, 2006.

FERRO, Marc. *Nicolau II: o último czar*. Lisboa: 70, 1992.

FREITAS, Caio de. *A Revolução Russa*. Rio de Janeiro: Bloch, 1967.

GILLIARD, Pierre. *Le tragique destin de Nicolas II et de sa famille*. Paris: Payot, 1928.

HALL, Coryne. *Little Mother of Russia: a biography of Empress Marie Feodorovna*. Londres: Shepheard-Walwyn, 1999.

KING, Greg. *La última Emperatriz de Rusia*. Buenos Aires: Javier Vergara, 1996.

MASSIE, Robert K. *Nicolau e Alexandra*. Amadora: Ibis, 1969.

MASSIE, Robert. K. *Nicolau e Alexandra: o relato clássico da queda da dinastia Romanov*. Rio de Janeiro: Rocco, 2014.

MILANI, Mino (org.). *O monge feiticeiro*. Rio de Janeiro: Brasília, 1974.

MONTEFIORE, Simon Sebag. *Os Románov: 1613-1918*. São Paulo: Companhia das Letras, 2016.

PERRY, John Curtis; PLESHAKOV, Constantine V. *The Flight of the Romanovs: A Family Saga*. Nova York: Basic Books, 2001.

PIPES, Richard. *História concisa da Revolução Russa*. Rio de Janeiro: Record, 1997.

RADZINSKY, Edvard. *Rasputín: los archivos secretos*. Barcelona: Ares y Mares, 2003.

RADZINSKY, Edvard. *O último czar: a vida e a morte de Nicolau II*. São Paulo: Best Seller, 1992.

RAPPAPORT, Helen. "The last days of Sidney Gibbes, English tutor to the Tsarevich". In: *Helen Rappaport*, 2018. Disponível em: <https://helenrappaport.com/russia/romanovs-revolution/last-days-sydney--gibbes/>. Acesso em: 6 maio 2021.

REZZUTTI, Paulo. "Trono manchado de sangue". In: *Aventuras na História*, n. 141, p. 42-7, abr. 2015.

ROMANOV, Grand Duke Alexander. *Once a Grand Duke*. Nova York: Farrar & Rinehart, 1932.

SMITH, Douglas. *Rasputin*: Faith, Power and the Twilight of the Romanovs. Nova York: MacMillan, 2016.

SUMMERS, Anthony; MANGOLD, Tom. *O dossiê do czar*. Rio de Janeiro: Francisco Alves, 1978.

TROYAT, Henri. *A vida cotidiana na Rússia no tempo do último czar*. Lisboa: Livros do Brasil, 1988.

TROYAT, Henri. *Rasputín*: Rusia entre Dios y el diablo. Buenos Aires: Vergara, 2004.

VYRUBOVA, Anna. *Memoirs of the Russian Court*. Londres: MacMillan, 1923. Disponível em: <https://www.gutenberg.org/files/59564/59564-h/59564-h.htm>. Acesso em: 6 maio 2021.

Saiba mais no canal do YouTube de Paulo Rezzutti

Os ovos imperiais russos de Fabergé
https://www.youtube.com/watch?v=vpV15EAGfJw

Rasputin, a história do Monge Louco
https://www.youtube.com/watch?v=BetPEBcGDh0

A queda da Dinastia Romanov
https://www.youtube.com/watch?v=ME-gt5VHCUY

Os sobreviventes Romanovs
https://www.youtube.com/watch?v=ME-gt5VHCUY

Em www.leyabrasil.com.br você tem acesso a novidades e conteúdo exclusivo. Visite o site e faça seu cadastro!

A LeYa Brasil também está presente em:

facebook.com/leyabrasil

@leyabrasil

instagram.com/editoraleyabrasil

LeYa Brasil

ESTE LIVRO FOI COMPOSTO EM MINION PRO,
CORPO 12PT, PARA A EDITORA LEYA BRASIL.